Criando paisagens

GUIA DE TRABALHO EM ARQUITETURA PAISAGÍSTICA

Dados Internacionais de Catalogação na Publicação (CIP)
(Câmara Brasileira do Livro, SP, Brasil)

Abbud, Benedito
Criando paisagens: guia de trabalho em arquitetura paisagística / Benedito Abbud ; [ilustrações Hélio Yokomizo]. – 4ª ed. – São Paulo: Editora Senac São Paulo, 2010.

ISBN 978-85-7359-598-7

1. Arquitetura paisagística 2. Jardinagem paisagística 3. Plantas ornamentais I. Yokomizo, Hélio. II. Título.

06-3651 CDD-712

Índices para catálogo sistemático:

1. Arquitetura paisagística 712
2. Jardins : Projetos paisagísticos 712
3. Paisagismo arquitetônico 712

OBRA ATUALIZADA CONFORME
O **NOVO ACORDO ORTOGRÁFICO**
DA LÍNGUA PORTUGUESA.

Criando paisagens

GUIA DE TRABALHO EM ARQUITETURA PAISAGÍSTICA

Benedito Abbud

4ª EDIÇÃO

Editora Senac São Paulo – São Paulo – 2010

ADMINISTRAÇÃO REGIONAL DO SENAC NO ESTADO DE SÃO PAULO

Presidente do Conselho Regional: Abram Szajman
Diretor do Departamento Regional: Luiz Francisco de A. Salgado
Superintendente Universitário e de Desenvolvimento: Luiz Carlos Dourado

EDITORA SENAC SÃO PAULO

Conselho Editorial: Luiz Francisco de A. Salgado
Luiz Carlos Dourado
Darcio Sayad Maia
Lucila Mara Sbrana Sciotti
Luís Américo Tousi Botelho

Gerente/Publisher: Luís Américo Tousi Botelho
Coordenação Editorial: Verônica Marques Pirani
Prospecção: Andreza Fernandes dos Passos de Paula, Dolores Crisci Manzano, Paloma Marques Santos
Administrativo: Marina P. Alves
Comercial: Aldair Novais Pereira
Comunicação e Eventos: Tania Mayumi Doyama Natal

Edição de Texto: Guilherme Mazza Dourado
Preparação de Texto: Elo Cultural Comunicação
Coordenação de Revisão de Texto: Marcelo Nardeli
Revisão de Texto: Adalberto Luís de Oliveira, Ivone P. B. Groenitz, Jussara R. Gomes,
Leia Fontes Guimarães, Maria de Fátima C. A. Madeira
Ilustrações: Hélio Yokomizo
Projeto Gráfico, Capa e Editoração Eletrônica: Antonio Carlos De Angelis
Ilustração da Capa: Hélio Yokomizo
Impressão e Acabamento: Visão Gráfica

Editora Senac São Paulo
Av. Engenheiro Eusébio Stevaux, 823 – Prédio Editora
Jurubatuba – CEP 04696-000 – São Paulo – SP
Tel. (11) 2187-4450
editora@sp.senac.br
https://www.editorasenacsp.com.br

Sumário

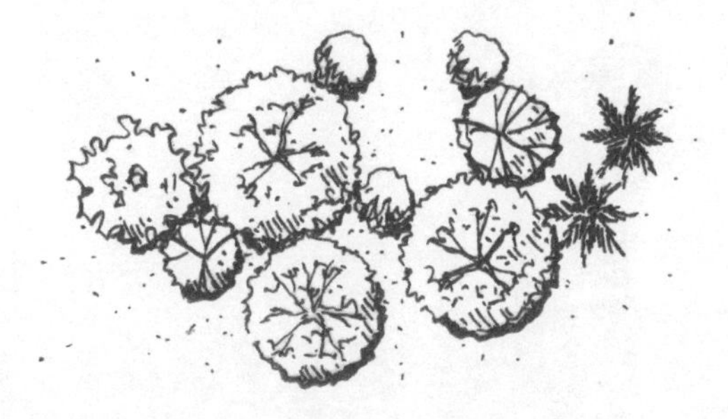

Nota do editor

Cor, forma, aroma, sons, textura, sabor: uma paisagem construída com plantas e árvores proporciona impressões as mais diversas a seus frequentadores. Além disso, jamais permanece a mesma, mas se altera segundo as estações do ano, revelando ao longo do tempo aspectos que seu observador não pode apreender de uma única vez.

Demonstrar como essas várias características devem ser estudadas para a criação de um espaço que promova bem-estar é o objetivo de *Criando paisagens: guia de trabalho em arquitetura paisagística*, um manual que reúne considerações mais práticas que teóricas, de forma clara e sucinta.

Com sua publicação, a Editora Senac São Paulo contempla não só as necessidades de profissionais encarregados da elaboração de projetos paisagísticos como acrescenta conhecimento – advindo sobretudo de trinta anos de experiência do autor na área – a todos aqueles que se interessam em atuar no campo do paisagismo.

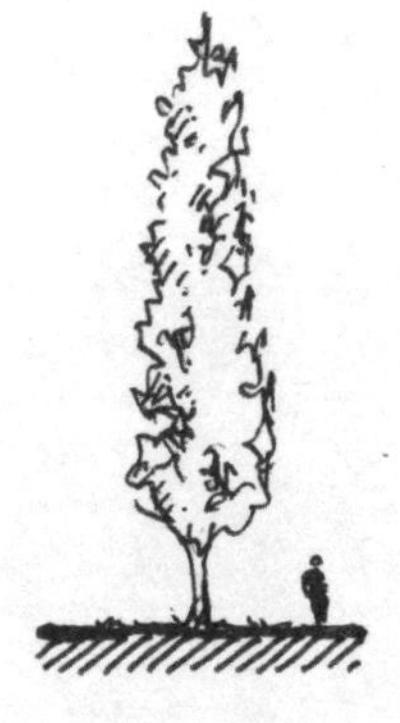

Apresentação

Criando paisagens: guia de trabalho em arquitetura paisagística é um livro brasileiro que busca transmitir a brasileiros métodos e técnicas da arquitetura da paisagem.

É do Benedito, brasileiro até no nome, que traz a reboque o Abbud do seu sobrenome, o que talvez tenha feito com que esse paisagista das arábias seja o primeiro a lançar no mercado um livro de conteúdo didático que certamente esclarecerá o que é a nossa atividade profissional, contribuindo assim para a compreensão da paisagem e suas formas de nela intervir. Não pretende ser um livro voltado para os aspectos teóricos e conceituais dessa intrincada disciplina que estuda o hábitat dos seres vivos, suas mutações, usos e ocupações. Não pretende tampouco falar do enfrentamento entre a paisagem natural e a paisagem cultural e seus modelos conciliatórios entre o desenvolvimento, a conservação e a preservação dos recursos naturais. É um livro que procura trazer a todos aqueles que se interessam em atuar no campo do paisagismo um conjunto de ações necessárias a empreender na criação de paisagens, por meio de uma experiência vivida em projetos e realizações. É nesse sentido que Benedito Abbud nos mostra de forma honesta e despretensiosa a sua "forma de pensar e fazer". Benê tem em sua história um longo e bem-sucedido percurso nos caminhos da arquitetura da paisagem. Pude acompanhar seu trabalho desde quando colaborou com a nossa colega Suely Suchodowsky, em 1976, no Projeto de Tratamento Paisagístico do Pico do Jaraguá.

Sua experiência no exercício da profissão ao longo desses últimos trinta anos aparece claramente em seus textos, nos quais é transmitido ao leitor os conceitos básicos projetuais do paisagismo, o uso de ferramentas e de materiais vegetais e minerais. Tudo isso feito de maneira direta, sob a forma de "guia de trabalho", que servirá não apenas a estudantes, mas também a profissionais provenientes de diversas áreas de formação envolvidos na construção de paisagens.

Finalmente, fica em mim a sensação prazerosa de assistir ao surgimento de um livro sobre a arte de projetar paisagens - escrito em nossa língua e, portanto, ao alcance de todos neste país -, no qual textos simples e didáticos divulgam, orientam e percorrem caminhos no âmbito específico do campo profissional de seu autor.

FERNANDO CHACEL
Arquiteto paisagista. Ganhador do prêmio Golfinho de Ouro na categoria arquitetura, urbanismo e paisagismo. É autor do livro *Paisagismo e ecogênese*.

Introdução

Este volume é um despretensioso passeio pelos bastidores da atividade do arquiteto paisagista. É um guia de trabalho que apresenta uma visão geral, mais prática do que teórica, das etapas e dos caminhos que caracterizam a atividade projetual. Foi escrito especialmente para iniciantes, buscando responder a inquietações e dúvidas que geralmente passam à margem dos livros especializados em paisagismo até hoje editados no Brasil.

A publicação traz um método de trabalho que aprimorei no decorrer de mais de três décadas de atividade como arquiteto paisagista, no convívio com estudantes, estagiários e profissionais que passaram por meu escritório ou com os quais mantive contato nas faculdades de arquitetura da Universidade de São Paulo e da Pontifícia Universidade Católica de Campinas na época em que lecionava. Esse modo de fazer revela, de forma simples e direta, alguns processos intuitivos e estratégias que fazem parte do dia a dia da criação intelectual em arquitetura paisagística. Obviamente não é o único método que existe, até porque cada profissional, ao longo do tempo, desenvolve e molda sua maneira própria de trabalhar e organizar seu cotidiano.

O ponto de partida deste estudo foi minha dissertação de mestrado *Vegetação e projeto. Estudos de caso em São Paulo, com as reflexões de um arquiteto*, orientada pela professora Miranda Martinelli Magnoli e apresentada à Faculdade de Arquitetura e Urbanismo da Universidade de São Paulo (FAU-USP), em 1986. Devo confessar que, logo que acabei esse trabalho acadêmico, não me passou pela cabeça publicá-lo na forma de livro. Mas com o passar do tempo e o interesse que ele despertou entre alunos e professores, fui motivado a pensar seriamente na sua edição.

De lá para cá, tratei de aprimorá-lo com diversas alterações e acréscimos para tornar sua leitura mais fácil e abrangente, embora sem nenhuma intenção de esgotar o assunto. Busquei construir mais uma visão de conjunto do que me ater a detalhes ou problemas particulares. E, por isso, não me aprofundei em questões técnicas sobre vegetação, aspectos ecológicos e agronômicos, que extrapolam os objetivos deste livro. Em resumo, o resultado que aqui se apresenta é antes um esforço de abrir discussão e buscar desmistificar modos de pensar e fazer.

No que diz respeito à estrutura, o livro está organizado em oito capítulos. O primeiro funciona como introdução às ideias essenciais da arquitetura paisagística – até porque não dá para falar direto em projeto sem saber o que é espaço, lugar, proporção, escala, etc. O segundo capítulo discute o papel da maquete como ferramenta tridimensional, muito útil no início do aprendizado de projeto e no domínio das variáveis espaciais. Do terceiro ao quinto capítulo, estuda-se como se familiarizar e trabalhar com os diversos estratos de vegetação, sem que seja necessário profundo conhecimento botânico sobre plantas. O sexto capítulo aborda os materiais e os elementos construídos com mais frequência atualmente nos jardins. O sétimo capítulo enfoca como driblar a crescente falta de espaços para áreas verdes nas grandes cidades brasileiras, recorrendo aos jardins sobre lajes, hoje cada vez mais frequentes. A última parte concentra-se na explicação de todas as fases do projeto e nas formas de bem atender aos clientes.

Busquei demarcar trechos importantes desses capítulos, ressaltando-os à margem das páginas do livro, bem como destaquei palavras-chaves para que o leitor mais ávido pudesse efetuar uma leitura mais imediata.

Por fim, mas não por último, aproveito para deixar registrado os agradecimentos para minha equipe de trabalho, que testou esses conceitos na prática e me ajudou de diversos modos a refinar este trabalho. E agradeço especialmente a Hélio Yokomizo, que preparou a maioria das ilustrações utilizadas, a Guilherme Mazza Dourado, que se encarregou da edição de texto, e a Haruyoshi Ono, pela gentil autorização para reproduzir o desenho de Roberto Burle Marx.

Espaço em paisagismo

1

O paisagismo é a única expressão artística em que participam os cinco sentidos do ser humano. Enquanto a arquitetura, a pintura, a escultura e as demais artes plásticas usam e abusam apenas da visão, o paisagismo envolve também o olfato, a audição, o paladar e o tato, o que proporciona uma rica vivência sensorial, ao somar as mais diversas e completas experiências perceptivas. Quanto mais um jardim consegue aguçar todos os sentidos, melhor cumpre seu papel. Mas como atuam os sentidos e como podem ser estimulados em paisagismo?

FIGURA 1
Mecanismo da visão: os planos próximos são percebidos com mais nitidez do que os planos distantes.

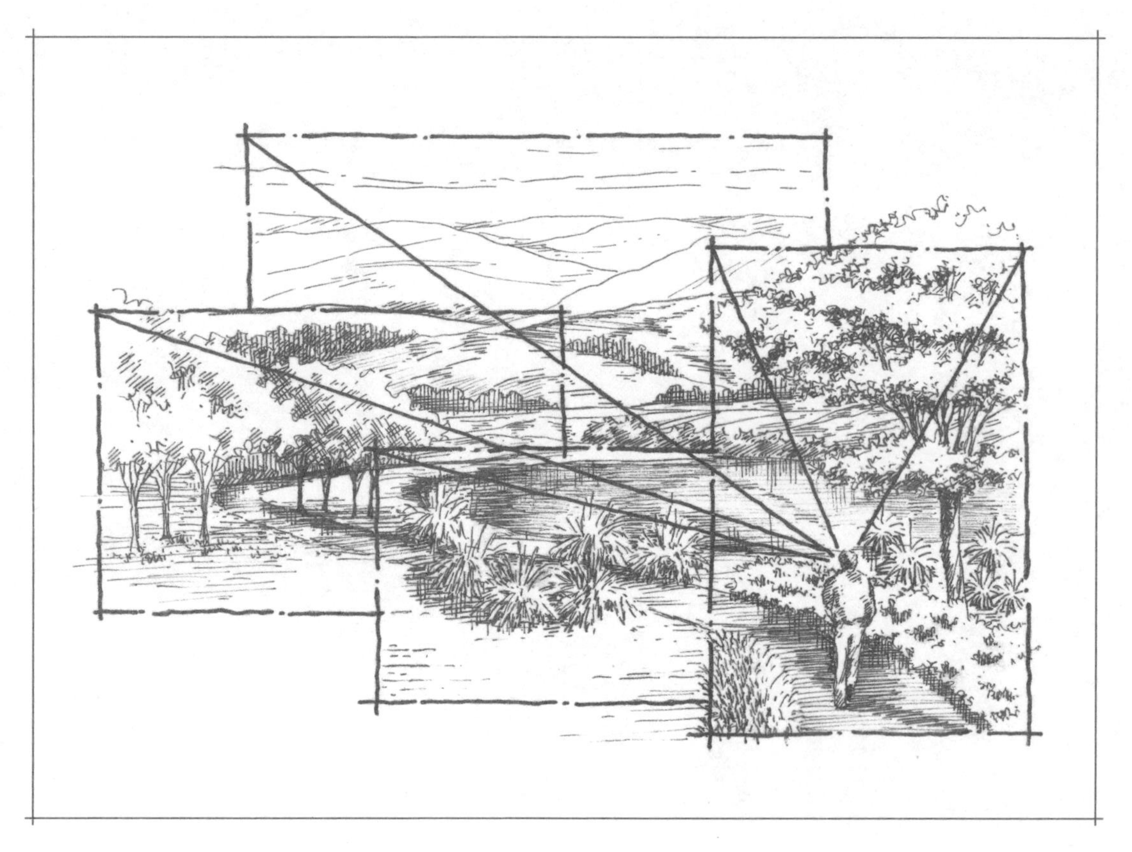

"O paisagismo é a única expressão artística em que participam os cinco sentidos do ser humano."

Mundo dos sentidos

A **visão** é um dos sentidos mais complexos do ser humano. Não é um recurso estático, e sim ágil e móvel. Passeia à vontade sobre os elementos que estão diante de si, sejam eles próximos ou distantes. Seu funcionamento pode ser explicado como um mecanismo que capta uma sequência de planos, que vão perdendo nitidez à medida que se afastam.

A visão apreende com mais clareza o que está em primeiro plano e com menos definição o que está no segundo e terceiro planos. Por fim, atinge o fundo e percebe apenas uma mancha desfocada. Mais isso não ocorre sempre assim.

Para uma pessoa em movimento, esse fenômeno se inverte. O primeiro plano se move mais rapidamente que o segundo; o segundo plano, mais que o terceiro. E assim sucessivamente, de modo que quanto mais rápido é o deslocamento, menor é a nitidez do que está próximo. Os detalhes do primeiro plano acabam passando tão depressa que se tornam menos importantes do que o fundo.

Quando a visão focaliza os elementos vegetais, percebe as formas das copas, flores e folhas, dos caules e galhos. Investiga as inúmeras cores das florações, folhas e folhagens e informa também sobre as texturas, macias ou ásperas, miúdas ou graúdas, sobre os efeitos de lisura ou rugosidade, de brilho ou opacidade presentes em folhas e flores.

A visão acompanha a dança das ramagens e das copas ao vento. Encanta-se com o brilho do sol que aquece e ilumina, com a chuva que escurece e molha e também com a escuridão da noite, pontuada pelas luzes da lua e das estrelas.

O tato opera de outro modo. Precisa do contato direto com os elementos naturais, de modo que perceba se sua temperatura é quente ou fria, se há rugosidade, lisura, aspereza, maciez ou dureza. O tato também informa sobre o calor do sol, a frescura da sombra e outras sensações.

Já o paladar possibilita conhecer os jardins de maneira diferente: faz a boca regalar com diversas frutas e flores comestíveis que povoam os espaços ajardinados. Permite saborear os temperos e as especiarias – que, colhidos frescos, enriquecem a comida – ou os chás e as infusões de folhas e sementes que acalmam ou estimulam.

Tudo é som nos jardins. A audição faz conhecer o murmúrio das águas, o farfalhar das folhas, o sacudir dos ramos ao vento, o ruído do caminhar sobre pedriscos, o canto dos pássaros.

Também tudo atrai o olfato nas áreas ajardinadas, seja pelo cheiro das plantas no frescor da manhã, no cair da tarde ou em dia de chuva, seja pelo odor da grama recém-cortada, pelas nuvens de perfumes que diversas flores, folhas, cascas e ramos podem exalar em vários momentos do dia e da noite.

"Também tudo atrai o olfato nas áreas ajardinadas, seja pelo cheiro das plantas no frescor da manhã, no cair da tarde ou em dia de chuva, seja pelo odor da grama recém-cortada."

Obviamente há cheiros mais agradáveis do que outros, de maneira que flores bastante perfumadas possibilitam caracterizar certos lugares de estar e caminhos ou mesmo formar jardins temáticos de aromas, que se transformam ao longo das estações do ano. Mas todos esses recursos que pertencem à essência do paisagismo ganham melhor expressão apenas quando estão arranjados segundo alguns princípios, formando um espaço.

Essência do espaço

A essência do espaço em paisagismo é diferente daquela da arquitetura e do urbanismo, pois resulta de matéria-prima distinta, obtida de elementos e condicionantes da natureza:

- o ar, que tudo envolve e faz viver os seres, é o elemento que respiramos; de ar é o espaço, e o espaço é fundamental para a paisagem;
- a água, que é sempre o centro das atenções do jardim, exerce fascínio sobre as pessoas, espelha o céu e proporciona tranquilidade, quando em superfícies horizontais sem movimento;
- o fogo traz luz, calor e aconchego à noite, quando em tochas, piras, fogueiras e mesmo em lareiras ao ar livre;
- a terra, que é o hábitat da fauna e da flora, funciona como base de nossos projetos;
- a flora fornece o principal material de trabalho ao arquiteto paisagista;
- a fauna vive e contribui para o equilíbrio das áreas ajardinadas;
- o tempo, que é uma espiral ascendente, muda a paisagem, faz transformar, crescer e amadurecer o projeto de paisagismo ao longo das quatro estações e ao longo dos anos.

Portanto, trabalhando-se com esses elementos dinâmicos, não é possível nem desejável planejar ambientes geometricamente precisos e permanentes. No jardim, sempre se

FIGURAS 2A E 2B
Diferenças entre os espaços paisagístico e arquitetônico: formas livres e instáveis *versus* formas geométricas e permanentes.

deve ter em mente que as formas espaciais são fluidas, livres e instáveis, como uma bolha de ar que se expande com desenho caprichoso e imprevisível e se relaciona com uma bolha de ar maior, que é a abóbada celeste, o teto mais alto de todas as paisagens.

"No jardim, sempre se deve ter em mente que as formas espaciais são fluidas, livres e instáveis, como uma bolha de ar que se expande com desenho caprichoso e imprevisível."

A arquitetura paisagística limita e subdivide os espaços. Mas esse trabalho não surge do nada, pois há sempre um espaço físico preexistente sobre o terreno que sofrerá intervenção e se estende pela paisagem do entorno. Os volumes vegetais e construídos propostos dividirão esse espaço inicial em unidades menores, que serão percebidas e vivenciadas em relação às maiores.

Para explicar o espaço paisagístico, aplica-se bem o antigo ditado chinês que diz que o importante não é a forma exterior do vaso, mas a forma do vazio que ele contém. Ou seja, o importante é pensar não somente nos cheios, no papel isolado das superfícies e dos volumes definidos pelas plantas, mas principalmente no que resulta entre elas, os vazios transformados em espaços, a partir dos elementos naturais, sem esquecer que eles são dinâmicos e mudam ao longo das estações e no correr dos anos.

Para um escultor, interessa o volume final de sua obra, e não o oco ou vazio que ela contém e geralmente ninguém vê. Em paisagismo, a situação é distinta. Interessa trabalhar com as tensões entre os vazios e os cheios na composição dos espaços; sem isso eles

FIGURA 3
Três planos principais do espaço paisagístico.

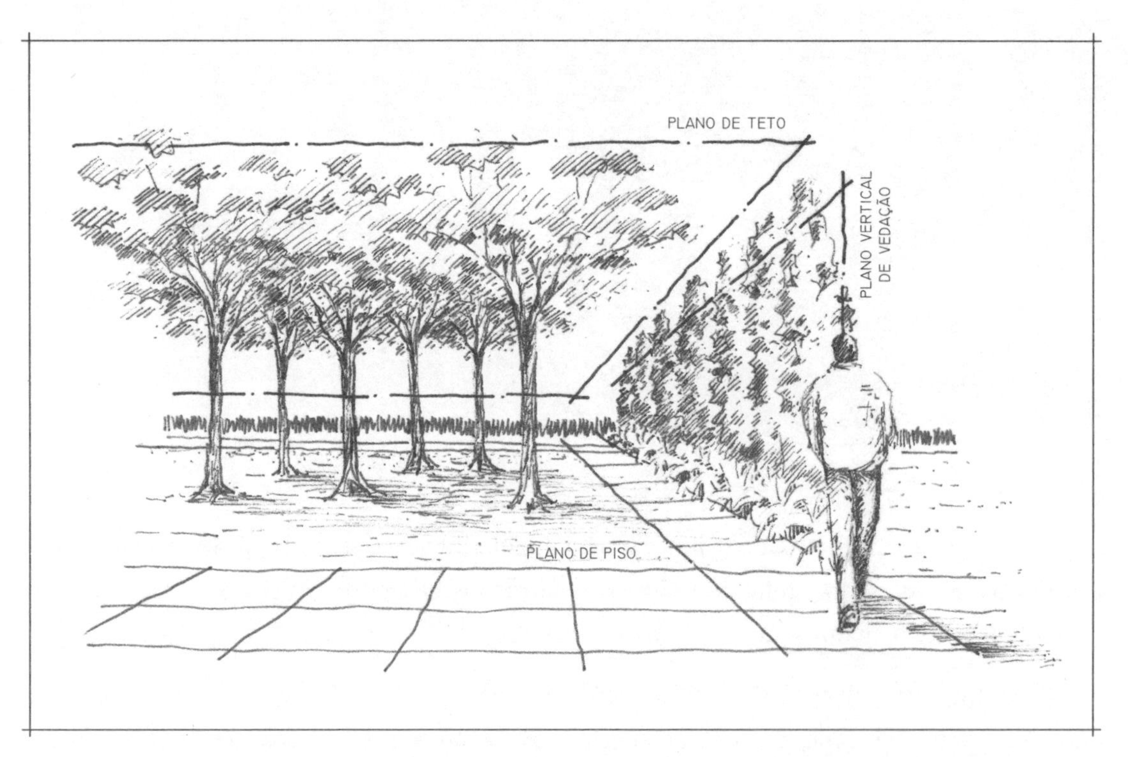

não existem. Interessa prever os espaços que serão usufruídos pelas pessoas, e não apenas o desenho puro e simples das massas vegetais, pois nos cheios ninguém vive.

Dependendo das extensões, alturas e luminosidades, cada espaço paisagístico pode transmitir as mais diferentes e contrastantes percepções. Pode sugerir aconchego, bem-estar, paz, surpresa, grandiosidade, beleza e muito mais. E, por isso, dificilmente um jardim pode ser entendido de modo rápido ou de apenas um único ponto de vista.

O projeto de paisagismo deve fazer uso do jogo de dissimular e mostrar certos elementos, fazendo com que os percursos sejam marcados por prazerosas descobertas. A modelagem espacial diversificada por meio dos volumes vegetais e construídos é a base de um bom projeto paisagístico. É por esse percurso que teremos sensações diferenciadas, incluindo a sensação de beleza. Mas desenhar bons espaços vai além disso.

Há que se planejar o que estará acima de nossas cabeças, como os tetos na arquitetura, utilizando-se as copas das árvores, os pergolados, os caramanchões, etc. Deve-se pensar também no que estará na frente de nossos olhos, funcionando mais ou menos como paredes e balizas verticais: os arbustos, as árvores, os taludes, as rochas, as dunas, os morros, as montanhas, as grandes escadas e os muros. Igualmente importante na definição espacial será tudo aquilo sob os nossos pés: os gramados, os pisos, as pequenas escadas, as rampas, as muretas, as superfícies de água, os elementos que podem se estender até o horizonte e encontrar as montanhas ou o céu.

"Para um escultor, interessa o volume final de sua obra, e não o oco ou vazio que ela contém e geralmente ninguém vê. Em paisagismo, a situação é distinta. Interessa trabalhar com as tensões entre os vazios e os cheios na composição dos espaços."

Espécies vegetais com folhagem, formas ou porte marcantes podem se tornar esculturas, desde que colocadas isoladamente, deixando-se vazios ao redor para sua completa visualização. Sem isso, elas se tornam parte de maciços verdes e perdem a individualidade. Quando bem altas, essas plantas recortam o horizonte e ganham presença contra o céu, vibrando com a mudança da luz solar ao longo das horas.

Espaço psicológico

É interessante chamar a atenção para as diferenças de percepção causadas pelos espaços arquitetônicos e paisagísticos, feitos com materiais inertes e plantas. Boa parte das pessoas – se já não passou por isso – ouviu falar do susto que levam os proprietários de uma casa em construção. Ao virem os alicerces dos cômodos, têm a sensação de que tudo é minúsculo e não irá caber nada, incluindo eles próprios. Essa impressão é consequência da falta de referências verticais – as paredes –, que faz com que os olhos percebam tudo como reduzido e apertado.

Quando as paredes sobem e se completa a construção, com a pintura e os revestimentos, essa sensação de pequenez começa a desaparecer. Aliás, somente desaparecerá ou poderá se confirmar quando os ambientes estiverem mobiliados. Os móveis podem aumentar virtualmente os espaços, quando são peças claras e com desenho leve e vazado, afastando psicologicamente as paredes. Por isso, as construtoras costumam montar apar-

FIGURA 4
Para evitar aridez: se houver pisos e muros extensos, coloque canteiros entre eles.

tamentos decorados nos *stands* de vendas, de modo que os clientes consigam sentir a real dimensão daquilo que estão comprando e não se decepcionem na entrega das chaves, com a moradia vazia.

Provavelmente esses mesmos proprietários já se assustaram bem antes, logo após a primeira visita ao terreno e ainda sem os alicerces da construção. Com os muros erguidos nas divisas, tem-se a impressão de que o terreno encolheu ou era menor do que se mostrava antes. Parece que não vai caber nem a metade do projeto arquitetônico.

No jardim ou espaço externo, os muros e as paredes têm a capacidade de "virem" ao encontro do observador, reduzindo drasticamente as sensações de distância, ainda mais se estão recém-pintados em cores claras e sem nenhum elemento vegetal sobre eles. Essa distância parecerá ainda menor se houver algum calçamento que chegue até os muros, causando também a impressão de extrema aridez.

Desse princípio talvez tenha surgido uma das regras básicas para projetos de paisagismo em áreas mais ou menos reduzidas. É interessante evitar que o piso encontre diretamente

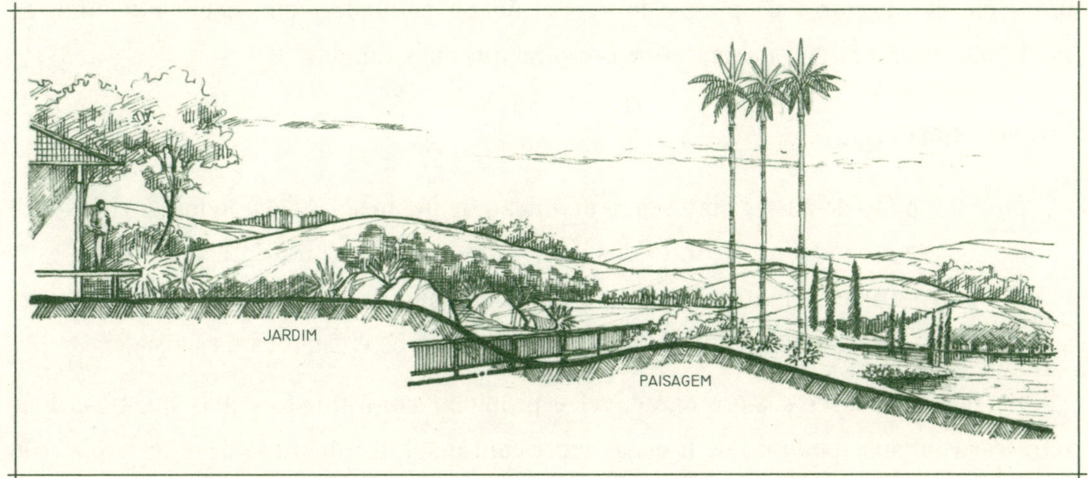

FIGURAS 5A E 5B
Ampliando o jardim: integre-o visualmente com seu entorno.

o muro, fazendo que entre eles sempre haja um canteiro, mesmo que minúsculo, de modo que esses dois planos fiquem independentes e pareçam mais leves. Mas é bom lembrar que isso, como tudo mais em paisagismo, tem sua exceção.

"O espaço físico pode ser medido matematicamente; já o espaço psicológico é percebido apenas pelas sensações..."

Por meio dessas e de outras situações, é possível retirar lições importantes sobre as diferenças básicas entre o espaço físico (real) e o espaço psicológico. O espaço físico pode ser medido matematicamente; já o espaço psicológico é percebido apenas pelas sensações e, em certas situações, conseguimos apreendê-lo parcialmente, pois se prolonga para seu redor ou pela paisagem afora.

Um exemplo ajuda a explicar melhor: a presença de arbustos altos ao longo de muros reduz fisicamente o espaço, mas o torna menos árido e psicologicamente maior. Se, além disso, houver também na vizinhança vegetação alta, que ultrapasse as divisas, o jardim parecerá ainda maior, pelo efeito de continuidade das massas verdes.

A princípio, todo jardim pode ter seus limites físicos ampliados virtualmente. Isso é possível e sempre bem-vindo com seu prolongamento para os arredores, pela união visual com os entornos, mesmo que eles não estejam em nossa propriedade. Os orientais chamam isso de capturar as paisagens adjacentes: somam-se vistas aos espaços projetados, por meio de aberturas na massa de vegetação ou enquadramentos, por exemplo, de modo que resultem em ambientes sensorialmente mais amplos.

Lugar e não lugar

Não há projeto de paisagismo sem a definição de lugares. Lugar é todo aquele espaço agradável que convida ao encontro das pessoas ou ao nosso próprio encontro. Ele estimula a permanecer e praticar alguma atividade, como descansar, meditar, ler, conversar em grupo, ou simplesmente a admirar o entorno e os elementos da paisagem.

Um lugar deve ser sempre agradável e propiciar conforto. Nos dias quentes, deve refrescar com sua sombra; nos frios, aquecer com o sol. E sobretudo deve ter proporção e escala compatíveis com o ser humano.

Há vários modos de qualificar e conferir personalidade ao lugar. Por exemplo, com um banco bem posicionado ou conjunto de bancos, mesas laterais e mesa de centro, criando uma sala de estar ao ar livre. Outro modo é dispor uma fonte, um belo comedouro de pássaros, uma escultura e mesmo plantas isoladas com características especiais, em relação a forma, folhagem, textura e/ou floração.

Pensar e realizar um bom lugar não é fácil e depende de separá-lo dos não lugares. **Não lugar** é espaço que une dois lugares. É sinônimo de **passagem**, algo feito para ligar e não permanecer, mas importante na medida em que articula os momentos marcantes do projeto e prepara as surpresas. Assim como na música há sons e silêncios intercalados, um bom projeto de paisagismo precisa de lugares e não lugares.

Não lugar também pode ser um espaço para **ser visto de fora** e até ter mais importância do que o lugar, como protagonista do projeto de paisagismo. É o caso dos jardins vitrines, planejados no interior dos edifícios. São montados para serem vistos através de janelas ou paredes de vidro e participam da arquitetura como cenário.

"Proporção é a relação harmoniosa entre as partes e os elementos que compõem o jardim. [...]

Escala é a relação que se estabelece entre o tamanho dos espaços, sejam lugares ou não, e as pessoas."

Proporção e escala

Não dá para falar de lugar sem se referir a proporção e escala. **Proporção** é a relação harmoniosa entre as partes e os elementos que compõem o jardim. Toda proporção e, consequentemente, a sensação que ela nos causa, como aconchego, grandiosidade, pequenez, imponência, monumentalidade, bem-estar ou não, resulta do fato de que percebemos o mundo por meio de dois olhos, duas orelhas, um nariz e uma boca, localizados em uma cabeça a cerca de 1,50 m do chão, quando estamos em pé, e mais ou menos 1,00 m, quando estamos sentados. Se tivéssemos a estatura de formigas ou de girafas, perceberíamos a proporção de um modo completamente diferente.

Escala é a relação que se estabelece entre o tamanho dos espaços, sejam lugares ou não, e as pessoas. Já escala humana supõe espaços adequados às dimensões das pessoas. A escala pode causar várias impressões, como: não é agradável estar sozinho no meio de um grande estádio de futebol vazio, pois a escala é esmagadora.

Também não é bom permanecer num espaço muito pequeno ou apertado. Nele é inevitável sentir-se mal e até ter claustrofobia. Da mesma forma, uma trilha em curva,

FIGURA 6
Escala monumental: é desagradável estar sozinho em pleno estádio do Maracanã.

FIGURA 7
Escala reduzida: espaços muito pequenos ou apertados podem causar mal-estar ou provocar claustrofobia.

estreita e formada por densas paredes de vegetação barra totalmente a visão e pode provocar uma péssima sensação de aperto e abafamento.

Por outro lado, sentar-se num banco, no alto de uma montanha, sob a copa de uma arvoreta que define um espaço aconchegante e admirar uma ampla paisagem proporciona uma maravilhosa sensação. Esse prazer também pode ser experimentado quando duas pessoas sentadas conversam bem próximas, em meio a um vasto campo gramado. Elas se sentem muito bem, pois embora estejam num grande espaço, criam uma "bolha visual" pela sinergia do relacionamento, que deixa a grande bolha em segundo plano. Porém, se houvesse apenas uma pessoa ali, o encantamento da descoberta das escalas do gramado cederia terreno aos poucos para uma sensação de desconforto. Portanto, as escalas dependem de referências e dos modos de uso dos espaços.

O lugar de estar para uma ou duas pessoas que se conhecem deve ser propositalmente pequeno, para ser intimista, ao passo que receber um grupo de pessoas que não se relacionam exige necessariamente um espaço bem maior. No caso de uma área esportiva, onde a atenção nos jogadores é tão forte, faz pouca diferença a escala humana do espaço. O mesmo acontece em grandes ambientes preparados para receber multidões.

Nas cidades brasileiras, a vegetação poderia ser bem mais utilizada para corrigir e melhorar as proporções e escalas – frequentemente desumanas – dos espaços urbanos, em geral formados por massas de construções descontínuas, enorme quantidade de postes, muros, semáforos, fiações, outdoors e tanta poluição visual. Ao longo de meus trinta anos de atividade profissional, tenho defendido isso. Mas infelizmente nem todos pensam e agem assim. É comum ver muitas intervenções urbanas que não utilizam a vegetação nem se preocupam com o que deveria ser seu objetivo primeiro: atender e melhorar a vida das pessoas.

FIGURA 8
Pontos focais: são atrativos que arrematam caminhos e perspectivas.

Ferramentas de projeto

Em paisagismo há vários procedimentos e ferramentas que podem auxiliar na elaboração dos projetos e na avaliação das proporções. Desenvolvi alguns e adaptei outros, com base nas ideias de Gordon Cullen, apresentadas no livro *Paisagem urbana* e comentadas a seguir.

Um jardim ou paisagem projetada pode empregar **pontos focais**, que são elementos dispostos nos espaços ou no final de caminhos para arrematá-los. Há vários tipos de pontos focais: esculturas, painéis, edificações ou mesmo espécies vegetais com formas diferentes e vistosas. Preferencialmente todo ponto focal deve ser iluminado artificialmente para ficar visível também à noite, considerando seu papel cenográfico e como referência de localização para as pessoas, em áreas maiores. Mas é preciso ser hábil para escolher quais serão os pontos focais, ajustando-os perfeitamente ao seu entorno, ou seja, não colocando algo muito grande num espaço que não comporta ou vice-versa, e assim por diante.

"Explorar o passar entre certos elementos é recurso interessante para criar situações e sensações diferentes das experimentadas nas demais partes do jardim."

Explorar o passar entre certos elementos é recurso interessante para criar situações e sensações diferentes das experimentadas nas demais partes do jardim. Isso se obtém com caminhos sobre a água, com passeios entre dunas gramadas, entre canteiros de forrações coloridas, entre maciços de arbustos, entre renques de árvores ou palmeiras, etc. O efeito será mais forte se os caminhos forem relativamente estreitos, fazendo ressaltar o que há no entorno.

Na criação dos espaços e suas hierarquias, é importante ter em mente o que significa o aqui e o ali, o próximo e o pouco distante, o que há ao redor do observador e o que ele vê em segundo e demais planos. Pode-se sugerir maior profundidade espacial se houver um adequado jogo entre o aqui e o ali, com base nas estratégias apontadas a seguir.

Barreiras abaixo da linha visual do observador, na forma de muretas, muretas-bancos, pequenas escadas ou pequenos desníveis (menores de 1,30 m para não separar os espaços) e maciços de arbustos baixos, funcionam bem para demarcar o aqui sem esconder o ali, onde a paisagem continua. Já barreiras acima da linha visual do observador, como muros, grandes escadas ou desníveis (maiores de 1,70 m) e cercas vivas de arbustos altos, têm um papel distinto: escondem ou dissimulam parcialmente o ali, se ele for desinteressante.

Pilares espaçados regularmente, arcadas, colunatas de palmeiras ou qualquer conjunto de caules retos e perfilados criam uma marcação muito útil entre o aqui e o ali, mantendo transparência e ligação visual entre eles.

FIGURAS 9A E 9B
Aqui e ali: é possível sugerir maior profundidade espacial articulando-se o que há próximo ao observador e o que ele vê em segundo e demais planos.

Renques de árvores verticais desenham altos muros verdes que podem ser mais ou menos transparentes, dependendo do espaçamento dos caules, da transparência da copa ou mesmo se as folhas caem no inverno, deixando entrever o ali. Por sua vez, renques de árvores horizontais compõem tetos que fornecem não apenas agradável abrigo, mas desenham sombras densas que marcam bem o lugar, o aqui, em contraste com o ali ensolarado e a paisagem distante.

Belas paisagens ou pontos de vista podem ser mais realçados quando **enquadrados** ou **emoldurados** por meio de aberturas estratégicas nos maciços de vegetação, da transparência entre os caules de árvores e colunatas de palmeiras e mesmo com elementos construídos (arcos metálicos para trepadeiras, pórticos, arcadas, treliças com janelas, muros com aberturas).

Falando ainda sobre como trabalhar com vistas a distância e elementos da paisagem, é possível aproveitá-los mesmo quando não pertençam necessariamente à área que está sendo projetada. Isso se chama **capturar a paisagem**, e permite ampliar virtualmente o jardim além de seus limites físicos ou de propriedade. Um modo de obter esse efeito é fazer o gramado terminar numa sequência escalonada de arbustos baixos, médios e altos, de modo a encaminhar o olhar para cima e fazer perceber montanhas longínquas, por exemplo. O resultado final sugere que a paisagem pertence ao jardim. Por contarem com áreas muito restritas para seus jardins, os japoneses usam e abusam desse recurso.

> "É possível aproveitá-los [elementos da paisagem] mesmo quando não pertençam necessariamente à área que está sendo projetada. Isso chama-se capturar a paisagem, e permite ampliar virtualmente o jardim além de seus limites físicos ou de propriedade."

Espaço pontuado é um procedimento indicado para vastas áreas. Pontuar significa espalhar, salpicar elementos vegetais ou construídos, de modo a balizar um espaço muito amplo, criando referências para o observador que ajudam a diminuir a sensação opressiva das grandes dimensões e a presença demasiada do céu. É o que se faz, por exemplo, quando um solário grande ao lado de uma piscina recebe coqueiros, que ajudam a atenuar as escalas e a vibração intensa do sol.

O **humor** na paisagem é maravilhoso! Normalmente acontece quando surge de repente, quebrando a monotonia e nos surpreendendo. Pode ser um objeto trivial em esca-

FIGURA 10
Enquadramentos: paisagens interessantes podem ser destacadas por molduras de vegetação ou elementos construídos.

la gigante, como a escultura de um animal, ou mesmo um objeto fora de seu contexto costumeiro, como aconteceu recentemente com a exposição *Cow Parade* nas principais áreas públicas de São Paulo. Esse evento distribuiu esculturas de vacas nas mais diferentes e imprevistas situações, o que divertiu e pôs um sorriso na boca das pessoas.

Estética e história

Como as demais artes, o paisagismo busca criar **beleza**, pois todo espaço nasce fundamentado em intenções estéticas. Mas como se evidenciam essas intenções estéticas? Em paisagismo, estão presentes na composição das formas, das cores e texturas, da luz e sombra, dos aromas e sabores. Nesse processo, o paisagista leva mais vantagens que o arquiteto, porque usufrui de mais liberdade de ação.

O arquiteto paisagista não está obrigado a seguir regras restritivas, como as dos códigos de obras em arquitetura, que impõem dimensões e alturas mínimas para os ambientes, assim como larguras de escadas, tamanhos de janela e toda sorte de normas. Em paisagismo, a liberdade é maior e bem próxima da pintura, por exemplo, em que tudo é possível e o objetivo central é encantar pela beleza.

Se na arquitetura já se falou tanto que a forma segue a função, em paisagismo pode--se dizer que a função é projetar boa forma. A estética é a primeira função do paisagismo e é por meio dela que se consegue atingir e emocionar o espectador. Mas o paisagismo possui outras funções também importantes.

Hoje, com o ritmo de vida mais acelerado e o confinamento doméstico causado pela insegurança das ruas, o paisagismo traz a natureza para perto das pessoas. Nas áreas tratadas paisagisticamente, as crianças e os adolescentes podem crescer, brincar, correr e descobrir as plantas. Nelas os adultos e idosos podem relaxar e recarregar suas baterias para enfrentar o dia a dia das grandes cidades.

Essas necessidades alteraram em muito os horizontes do paisagismo, tornando-o muito mais importante do que no passado para o equilíbrio e a qualidade de vida das populações urbanas. Hoje, mais do que nunca, com a tecnologia *wireless*, é possível trabalhar no jardim. Com um *laptop* e um celular, monta-se um escritório móvel sob um caramanchão ou uma árvore, de maneira informal, descontraída e relaxada, que reverte na qualidade de produção e criação.

Tratando-se de estética, é interessante chamar a atenção para o fato de que ela não surge do nada. Ao contrário, trabalha com a história, mesmo quando pretende mudar os rumos dela. Para se criar qualquer forma, é preciso saber o que existiu antes, conhecer os diversos repertórios plásticos que foram inventados pelo homem ao longo do tempo.

"Tratando-se de estética, é interessante chamar a atenção para o fato de que ela não surge do nada. Ao contrário, trabalha com a história, mesmo quando pretende mudar os rumos dela."

FIGURA 11
Paisagismo nas cidades: faz com que as pessoas recuperem o contato com a natureza.

Esses repertórios podem ser **reaproveitados ou transgredidos** na imaginação de novas formas. É assim que o conhecimento segue adiante.

"O corpo é a parte sensorial do projeto, formada pelos elementos que aguçam os sentidos."

Corpo e alma

Como as pessoas, todo projeto de paisagismo possui corpo e alma. O **corpo** é o universo dos elementos físicos e materiais do projeto, é tudo aquilo que pode ser representado em planta, corte e elevação e poderá ser construído, edificado e plantado. É, portanto, a **parte visível** do paisagismo.

O corpo é formado por **órgãos vitais** – os lugares e os equipamentos (quadras esportivas, piscinas, etc.) –, que são irrigados pelas veias – os não lugares (os caminhos e as circulações) –, que lhe dão vida. Por isso, assim como numa pessoa, é triste quando um projeto não chega ao fim, apresentando áreas incompletas. É como um corpo capenga, sem partes que lhe fazem pulsar completamente a vida.

O corpo é a parte sensorial do projeto, formada pelos elementos que aguçam os sentidos, e sempre resulta da escolha de materiais, compatíveis com o orçamento disponível para a execução do trabalho.

Por sua vez, a **alma** do projeto é representada pelo universo dos **símbolos**, significados e valores, que fazem parte da história e da cultura de determinado povo, lugar, região ou país. O corpo pode deixar transparecer a alma, especialmente quando evidencia esse universo simbólico. Por exemplo, há jardins contemporâneos no Japão cujo desenho está baseado em princípios do zen-budismo. Apenas quem conhece essa filosofia sabe os significados mais profundos associados às formas: o jardim pode representar o mundo, e o mundo pode estar espelhado no jardim.

"A alma do projeto é representada pelo universo dos símbolos, significados e valores, que fazem parte da história e da cultura de determinado povo, lugar, região ou país."

Em outros casos, a alma pode ser explicada por textos escritos, em placas estrategicamente locadas no jardim, como num projeto de parque que realizei, tempos atrás, em Porto Alegre, embora infelizmente não tenha se concretizado. A intenção era agregar a história do romance épico *O tempo e o vento*, de Érico Veríssimo, ao conceito do projeto. Não se tratava de colocar bonecos dos personagens, mas utilizar espécies vegetais citadas pelo autor, reproduzindo os textos onde elas apareciam. Assim era possível saber que o cambará, que o capitão Rodrigo escolheu como nome, é uma árvore rústica, porém doce; que a figueira comum nos vilarejos rio-grandeses pertence ao gênero *ficus*, do qual fazem parte também a trepadeira unha-de-gato (*Ficus pumila*), o *Ficus religiosa*, sob o qual Buda se iluminou, e o *Ficus gameleira*, que abrigou todo o exército de Júlio César, etc.

Projeto para gente

Nem sempre é possível fazer projetos de paisagismo com a participação direta de um cliente, que traz suas exigências, sonhos e desejos. No caso de prédios residenciais e mesmo praças e parques públicos, trabalha-se com as necessidades e expectativas de um **cliente ideal**, um público-alvo. Isso exige mais atenção para que não se faça algo desinteressante ao futuro usuário.

FIGURA 12
Lugares para todos: o projeto de paisagismo, para ricos ou pobres, deve criar espaços que bem atendam e estimulem as pessoas.

Tenho desenvolvido projetos paisagísticos para todas as classes sociais, desde os populares Cingapuras, que são prédios habitacionais para ex-favelados, até empreendimentos residenciais de altíssimo padrão. Em todos os casos, os pontos de partida e chegada do projeto são semelhantes, ou seja, persegue-se a definição de bons lugares, de modo que as pessoas se sintam valorizadas por meio do paisagismo.

Por exemplo, não dá para fazer quadra de peteca em todas as regiões do Brasil, pois nem todos praticam e gostam desse esporte, como em Belo Horizonte e Brasília. Do mesmo modo, as churrasqueiras para os gaúchos são mais essenciais que para outros brasileiros, que apreciam carne na brasa apenas nos fins de semana.

As piscinas são mais requisitadas em regiões quentes. Em residências à beira-mar, são aceitas sem qualquer proteção visual, assim quem passa na rua avista francamente os banhistas. O mesmo não ocorre nas demais regiões brasileiras, nas quais se exige que as piscinas estejam cercadas por algum tipo de anteparo visual, que não exponha os frequentadores.

Pensando nas crianças

O sucesso do projeto de paisagismo está diretamente relacionado ao atendimento dos desejos e necessidades das pessoas, especialmente no que se refere aos equipamentos e locais para atividades. E para que isso aconteça é fundamental observar que nem todo mundo é igual e cada faixa etária gosta ou precisa de coisas diferentes.

Bebês e crianças até 5 anos, por exemplo, necessitam do sol da manhã, divertem-se em gira-giras, miniescorregadores e gangorras; as meninas brincam em casinhas de bonecas; os meninos, em casinhas de Tarzan. Esses brinquedos devem estar preferencialmente assentados sobre pisos macios (emborrachados), que possibilitem engatinhar, praticar os primeiros passos e mesmo cair à vontade, sem se machucar. Essa faixa etária exige vigilância de uma pessoa mais velha, para a qual deve ser previsto o lugar de estar com bancos confortáveis, próximos aos equipamentos.

Esse mesmo lugar de estar pode servir também para se observar as crianças maiores, de 5 a 10 anos, que adoram brincadeiras mais agitadas em trepa-trepas, escadas horizontais, escorregadores altos, pontes pênseis de corda, castelos e fortes sobre palafitas, com tubo para escorregar, ao modo dos bombeiros. De preferência, os equipamentos para elas devem estar ligeiramente separados daqueles das crianças menores, evitando conflitos e atropelamentos.

É interessante que as áreas de recreação infantil contenham elementos para desenvolver a criatividade, como dunas gramadas que lembram montanhas; trenzinhos e barcos, onde são feitas "viagens imaginárias"; caixas com areia, que recordam a praia, ins-

"É interessante que as áreas de recreação infantil contenham elementos para desenvolver a criatividade, como dunas gramadas que lembram montanhas; trenzinhos e barcos, onde são feitas 'viagens imaginárias'."

FIGURA 13
Playground para crianças de até 5 anos.

tigam a construção de castelos e muitas outras invenções. Para a manutenção da areia, algumas medidas são necessárias: constante desinfecção com cloro e revolvimento, para evitar doenças causadas pelas fezes e urina dos animais que eventualmente frequentem a área.

Em prédios e condomínios residenciais, é ideal prever áreas para montagem de palcos temporários para teatrinhos, representações, canto e dança, principalmente em festas de aniversário. Locais para carrinhos de pipoca, cachorro-quente e algodão-doce também não devem ser esquecidos.

Atualmente **playgrounds temáticos** são bem-vindos em condomínios residenciais, praças e parques frequentados por crianças. Há uma infinidade deles: fazendinha com

FIGURA 14
Papel dos brinquedos: os melhores estimulam a criatividade infantil.

"Na faixa entre 8 e 13 anos, os pré-adolescentes já não acham a menor graça nas diversões de criança. Além dos computadores e jogos eletrônicos, preferem brincadeiras agitadas ao ar livre, em que despendam energia e mostrem 'coragem'."

celeiros, cerquinhas que envolvem bancos em forma de animais, pocinho d'água, etc.; bosque encantado com silhuetas de duendes e fadas, bancos em forma de cogumelos e flores; parque de animais gigantes, com escorregadores embutidos; jardim das miniaturas; etc.

Para os pré-adolescentes

Na faixa entre 8 e 13 anos, os pré-adolescentes já não acham a menor graça nas diversões de criança. Além dos computadores e jogos eletrônicos, preferem **brincadeiras agitadas** ao ar livre, em que despendam energia e mostrem "coragem". Eles gostam, entre outras coisas, de espirobol, bicicross, skate, patins, sacos de boxe e paredes para escalada.

FIGURA 15
Pistas de skate: são atualmente uma das diversões prediletas dos pré-adolescentes.

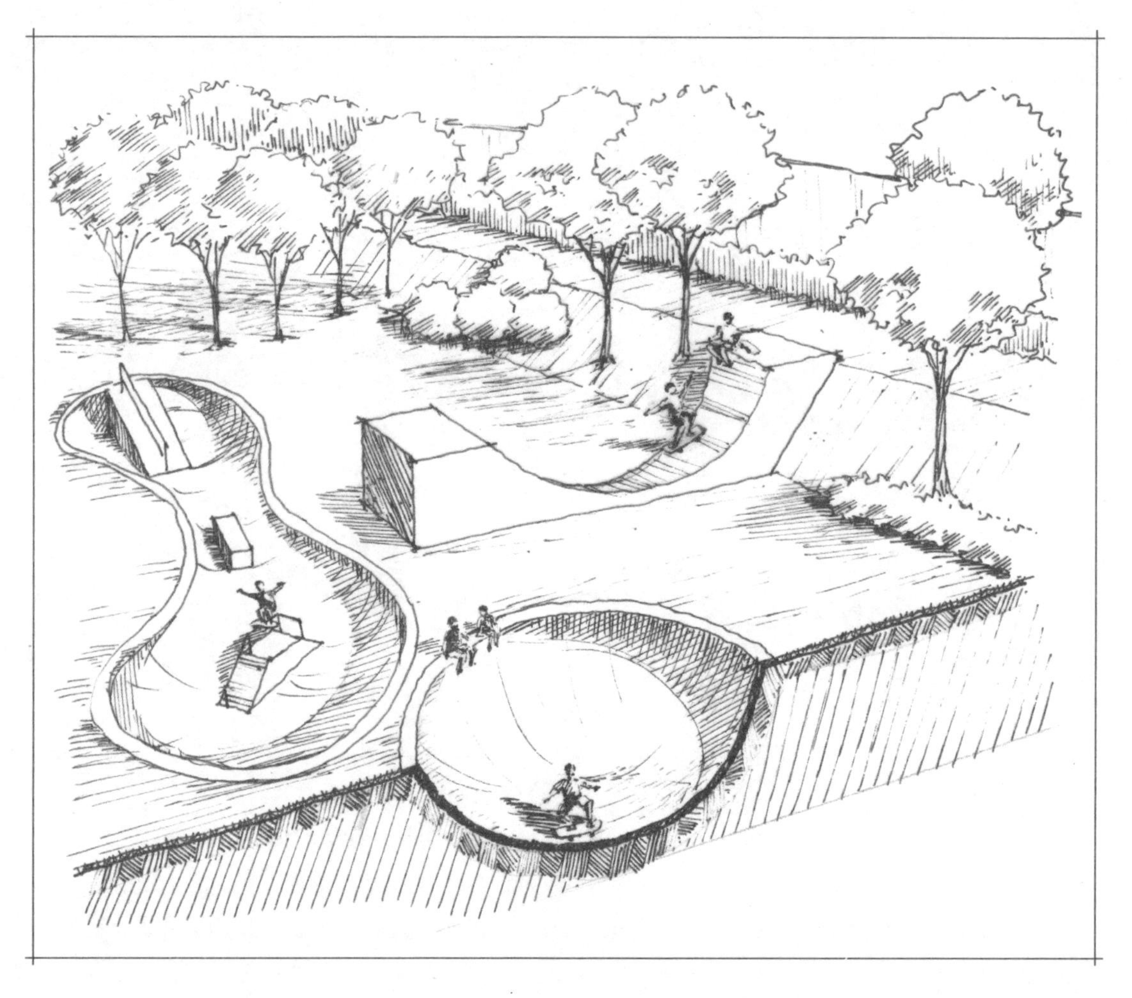

O **espirobol** é um brinquedo na forma de mastro vertical, na ponta do qual há uma corda presa a uma bolinha, pendendo a 1,30 m do chão. O jogo envolve duas pessoas batendo na bola em lados opostos do mastro, de modo que vence a partida quem enrolar primeiro toda a corda.

Já o **bicicross** exige bem mais espaço. É feito de pistas e morretes de terra para se saltar de bicicleta e é ideal para grandes condomínios ou parques, mas as áreas devem estar cercadas, para a segurança das pessoas do lado de fora.

Na mesma categoria de diversão sobre rodas, estão o skate e os patins, cujas pistas podem ter dimensões e complexidades variadas. Desde diminutos *halfpipe*, onde se treina o vai e vem, com pequenos saltos, até pistas com grande quantidade de equipamentos e dificuldades - degraus, corrimãos, muretas, grandes *bolls*, altas paredes, etc. Principalmente as pistas maiores devem ser cercadas para evitar conflitos.

Os sacos de boxe, recheados de areia, podem ficar pendurados em praticamente qualquer local, desde que em altura apropriada e seu movimento não atinja ninguém que passe nas imediações. Quanto às paredes de escalada, que estão muito em voga, é importante fazer um alerta: é melhor que um adulto segure a corda que amarra e protege quem escala, evitando possíveis quedas. Sem isso, a parede pode ser um perigo para os que se aventurarem a subir sozinhos. Nessa e nas outras diversões, como o miniarborismo, que possam causar quedas, é interessante se precaver com o uso de equipamentos adequados de segurança, como capacetes, joelheiras, etc., e ter sempre supervisão.

Prazeres de adolescentes

Eles gostam de se reunir para conversar, contar segredos, namorar, ouvir música, etc. Nos condomínios, passam horas e horas juntos e utilizam muito praças de estar ao ar livre e áreas sob pérgolas ou caramanchões durante a tarde e à noite. Por isso, essas áreas podem ser previstas para a frequência diurna de outros membros da família, principalmente os idosos, que comumente preferem os primeiros horários para tomar sol, relaxar, curtir a paz do jardim e mesmo vigiar os netos menores.

A vez dos avós

Além de compartilhar com os adolescentes vários equipamentos citados anteriormente, os idosos em geral também gostam de cuidar de plantas, no próprio jardim ou em ripados especialmente projetados para essa finalidade, com pia, bancada de trabalho, local para guardar os apetrechos de jardim, etc.

"Além de compartilhar com os adolescentes vários equipamentos citados anteriormente, os idosos em geral também gostam de cuidar de plantas, no próprio jardim ou em ripados especialmente projetados para essa finalidade."

Há os que adoram locais tranquilos para fazer ioga, tai chi chuan, meditação e outras práticas orientais. Outros preferem jogos de mesa (damas e xadrez) ou bocha, que requer uma quadra especial coberta.

Equipamentos para todos

Há alguns equipamentos que são utilizados por todas as pessoas da família nos condomínios residenciais: áreas esportivas; pistas de cooper; conjuntos aquáticos; áreas com mesas, churrasqueiras, fornos para pizza e fogões; jardins, pomares e hortas.

As quadras esportivas, especialmente aquelas com piso resistente (cimentado, por exemplo), têm mil e uma utilidades ao longo do dia e do ano. De manhã, podem servir para as crianças andarem de triciclo e bicicleta. À tarde, os maiores podem pular corda, correr, jogar, fazer ginástica e até andar de skate e patins, se não houver pistas adequadas.

À noite, quando iluminadas, são locais favoritos para futebol ou vôlei dos adultos. Pensando neles, é sempre conveniente posicionar uma praça de estar ao lado da quadra. Enquanto esperam a vez de jogar, é lá que vão bater papo e depois também comemorar as vitórias e derrotas e tomar a cervejinha.

No decorrer do ano, as quadras se prestam também a vários tipos de evento: festas juninas e natalinas, aniversários e reuniões condominiais, se não houver sala apropriada.

Quanto aos conjuntos aquáticos, dispõem geralmente de piscinas para crianças e adultos; são cobertas e/ou abertas; aquecidas ou não, dependendo da região; com formatos de raias para natação ou com formas livres e curvas para recreação; com ou sem bares, com bancos parcialmente imersos e solário molhado. Há detalhes importantes para os bordos das piscinas, dependendo do efeito desejado. Por exemplo, há desde a borda prainha, que imita o encontro da areia com a água do mar, até a borda infinita, quando uma parede lateral é mais baixa que as demais, fazendo com que a lâmina de água se derrame e se some ao céu ou à paisagem distante, como mar ou lago.

FIGURA 16
Pistas de cooper e áreas de descanso: são espaços que todas as pessoas da família podem usar.

Ao redor das piscinas, deve haver geralmente uma área pavimentada para banho de sol, com espreguiçadeiras e mesas, e também pergolados e sombra para quem não quer se bronzear. Em situações especiais, esse local pode dispor de bancos para hidromassagem nas costas, hidromassagem vertical para todo o corpo, jatos de água para massagear os ombros e aliviar as tensões.

Em resumo, o importante é estar atento para as mudanças de gosto e costume e incorporá-las ao projeto. Não adianta colocar coisas que as pessoas não mais se interessam, pois serão desprezadas.

Maquete como instrumento de criação

2

Há vários modos de se aprender a projetar em paisagismo, mas certamente o mais didático deles é começar com uma **maquete**. Ela ajuda a iniciar o estudo das relações de composição e determinar o papel que os vários tipos de vegetação – os estratos arbóreo, arbustivo e de forração (ver capítulos 3, 4 e 5) – podem assumir no desenho espacial.

Nessa etapa, ainda não é preciso conhecer detalhadamente as plantas, mas aprender a trabalhar com as características gerais delas na formação dos espaços. Ou seja, qual

FIGURA 17
Montagem da maquete: utilize palha de aço e esponjas para os volumes vegetais, palitos para os troncos, serragem para as forrações e tintas.

efeito se conseguirá com árvores altas ou baixas, com copas horizontais ou verticais, com grupos de arbustos associados a canteiros de herbáceas, etc.

Alguns materiais são necessários para a construção da maquete: placa de isopor para servir de base, palha de aço e esponjas para os volumes vegetais, palitos para os troncos, serragem para as forrações, tintas e perfumes.

Arranjo volumétrico

O elemento principal da vegetação na criação dos espaços é o seu volume, o formato de sua massa, de seu cheio. Com base nisso, experimente criar e dispor **volumes** agrupados, enfileirados ou isolados, usando a palha de aço e as esponjas. Vá organizando simultaneamente os vazios entre eles, de modo que resultem em **lugares** e **não lugares**, que sejam estreitos, largos, fechados, abertos ou voltados para alguma vista interessante. Imagine elementos isolados ou conjuntos de vegetação de vários portes. Visualize onde vão estar as forrações para pisar ou simplesmente cobrir o chão de texturas variadas.

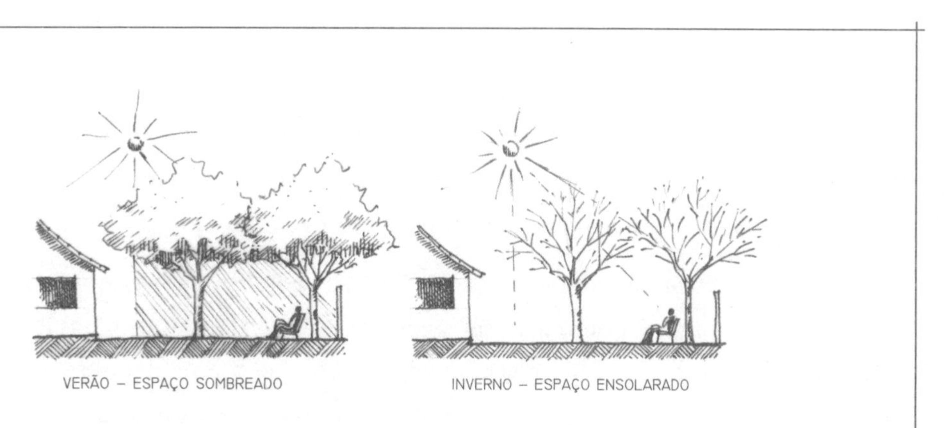

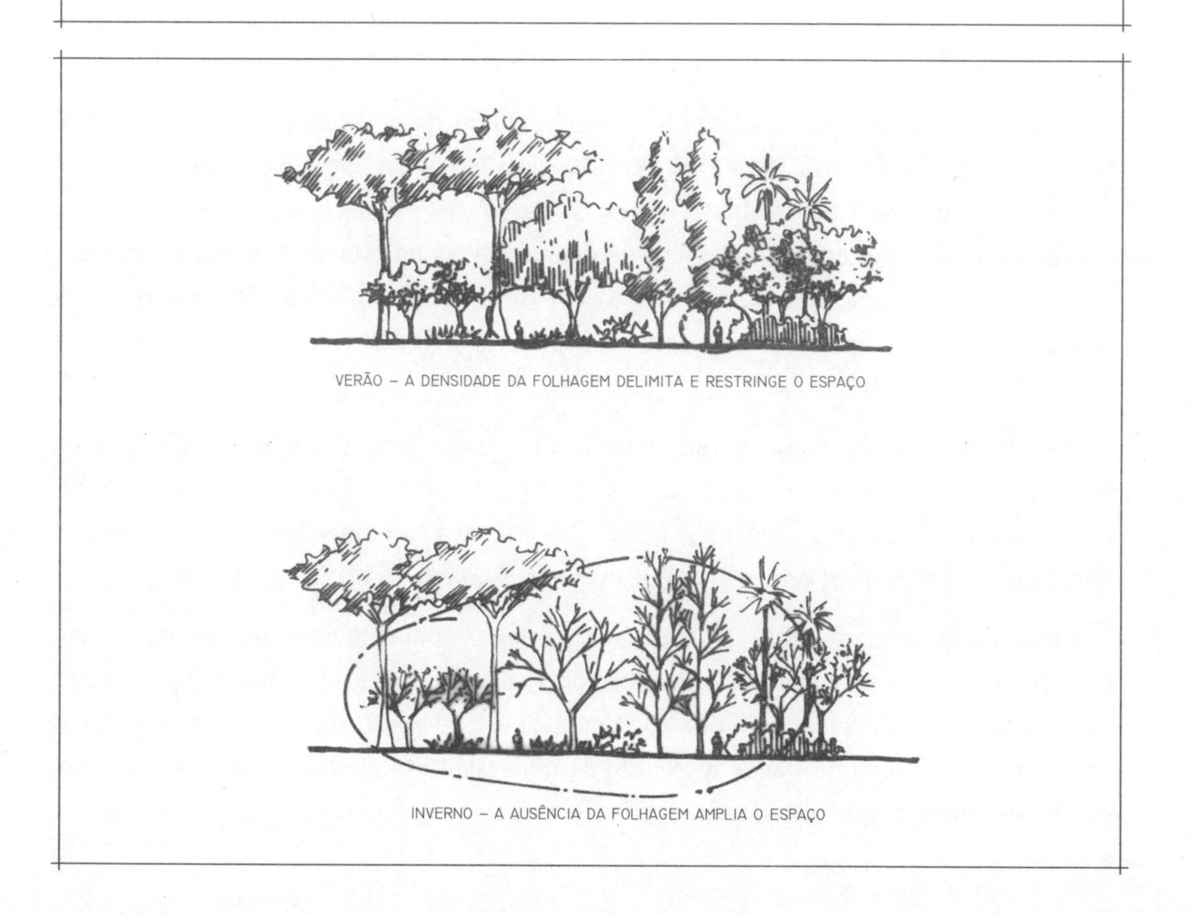

FIGURAS 18A E 18B
Tipos de espaços: a mesma árvore cria espaços diferentes ao longo das estações – sombreados e confortáveis no verão; ensolarados e quentes, quando sem folhas, no inverno.

"Percorra a maquete com os olhos, como se estivesse dentro daquele mundo, buscando perceber as diferentes sensações dos espaços, experimentando como se anda mais rápido nas áreas estreitas e longas e se diminui o passo nos ambientes maiores. [...]"

Depois percorra a maquete com os olhos, como se estivesse dentro daquele mundo, buscando perceber as diferentes sensações dos espaços, experimentando como se anda mais rápido nas áreas estreitas e longas e se diminui o passo nos ambientes maiores. Note como é bom parar numa área de estar com bancos para apreciar a vista, sentar para conversar numa mesa ou tomar sol num amplo deck, ao lado da piscina.

Se há ruas e avenidas na proposta, imagine-se percorrendo-as num carro, em velocidade muito maior do que a de um pedestre e experimentando também uma visão sequencial muito mais acelerada das coisas. Dificilmente os detalhes serão vistos, mas sua atenção concentrar-se-á nos conjuntos de formas, texturas ou cores: nas aleias de palmeiras ou de árvores floridas, nos maciços de arbustos altos ou baixos, nas forrações que se estendem por grandes extensões, por exemplo.

Além de variado e rico, o componente volumétrico da vegetação pode modificar-se no decorrer das diferentes estações do ano. Isso permite criar geralmente dois tipos básicos de espaços: sombreados e confortáveis sob as copas das árvores no verão; ensolarados e quentes quando os ramos perdem as folhas na estação fria. Por outro lado, esses mesmos espaços proporcionam sensações diferentes ao longo do ano: parecem maiores quando as árvores ficam sem as folhas no inverno e menores sob as copas verdejantes no verão.

Na distribuição das massas verdes, é necessário tomar certo cuidado quando se usa a vegetação como elemento isolado, como escultura no jardim. Essa fantástica possibilidade pode ser obtida pela forma, cor ou textura encontrada em várias espécies, mas sem dúvida o volume é o aspecto mais marcante e permanente durante as estações.

Empregados como escultura, uma planta isolada ou um maciço de plantas devem permanecer soltos, com muito vazio ao seu redor, de preferência com iluminação noturna cuidadosamente planejada, de modo que possa se tornar ponto focal do espaço ou lugar onde está. É bom lembrar que a apreensão de uma escultura melhora consideravelmente sob luzes corretas, que valorizam seu relevo e suas características no jogo de claros e escuros.

No posicionamento desses elementos escultóricos, dê preferência aos locais de chegada ou aos pontos no final dos caminhos, que são visualizados por algum tempo ao longo do trajeto. Não se esqueça de envolvê-los com vazios para que se destaquem do fundo e apareçam na cena.

Composição de cores

Após a colocação dos volumes, escolha algumas cores e pinte a maquete. Use e abuse da palheta de cores associada aos elementos da natureza.

Comece colorindo as folhagens com diversos tons de verde. Use verde-petróleo para as mais escuras, verde-alface para as mais claras, verde prateado para aquelas que brilham na luz, vermelho e amarelo para folhagens variegadas, e assim por diante.

Em seguida, defina cores para a floração. Como num quadro, a disposição e a frequência das manchas e dos pontos coloridos são fundamentais para a composição e a harmonia dos resultados. As flores de tons rosados, amarelos, vermelhos, azuis, violetas, mais ou menos densos, são abundantes nas espécies brasileiras. Não se esqueça de que há situações em que as florações são mais bem visualizadas de cima e, portanto, procure imaginar espécies que floresçam na parte superior das árvores. Nos casos em que a vivência das pessoas se dará sob as copas, use espécies com flores pendentes.

É importante lembrar que os diferentes espaços e as velocidades com que são apreendidos estão diretamente relacionados à extensão de cor, que, quanto maior for, melhor será vista a distância. Procure usar pequenos pontos isolados de cor quando o jardim for pensado para ser fruído de perto. Nesse contexto, as formas, as tonalidades e a beleza da flor isolada adquirem grande importância.

Cuidado! É fundamental prever na maquete as mudanças cromáticas que ocorrem durante as estações do ano. Se diversas áreas do jardim forem preparadas para florescer em momentos diferentes ao longo do ano, haverá uma transformação constante do caráter dos lugares. O ideal é fazer quatro maquetes, cada uma correspondendo a uma estação.

"Não se esqueça de que há situações em que as florações são mais bem visualizadas de cima e, portanto, procure imaginar espécies que floresçam na parte superior das árvores. Nos casos em que a vivência das pessoas se dará sob as copas, use espécies com flores pendentes."

FIGURA 19
Florações de árvores: há espécies que florescem sobre as copas e, por isso, são mais interessantes para serem vistas de cima, e vice-versa.

Perfumes e sabores

Após estudar os volumes e as cores, pegue frascos de perfume e vá pingando cuidadosamente pela maquete. Imagine que são fragrâncias exaladas por **flores diurnas e noturnas**, aromas delicados ou fortes, mas sempre prestando atenção para não exagerar na dose. Ficar muito tempo perto de plantas aromáticas nem sempre é bom e pode incomodar, se estiverem ao lado de dormitórios.

Em seguida, escolha quais volumes vegetais serão espécies frutíferas. Distribua-os de modo que as **frutas** atraiam pássaros, insetos, animais e pessoas. Note que a intenção é compor árvores frutíferas com as demais plantas e não criar pomares isolados, como em sítios ou fazendas produtoras, cujas mudas são localizadas em distâncias compassadas, para que o sol incida plenamente nas copas para total frutificação.

Espalhe diferentes texturas para caracterizar todos os componentes da vegetação: copas de aspecto grosso, fino, denso, rendilhado ou transparente; florações abundantes ou esparsas; ramagem e caules rugosos, lisos, marmorizados; raízes aparentes ou não; etc. No final, cheque o resultado proposto, percorrendo e sentindo novamente o espaço projetado.

"Passe então ao estudo mais detalhado das espécies vegetais. [...] esse elenco de plantas deverá refletir as características e necessidades do local de projeto."

Fontes de inspiração

Quanto mais informações sobre vegetação propiciar, mais rico será o resultado da maquete. Nesse sentido, além dos conhecimentos apresentados até aqui, consulte sobretudo os capítulos 3, 4 e 5, que auxiliarão na confecção e no desfecho da maquete.

Uma vez analisada, revisada e aprovada a maquete, passe então ao estudo mais detalhado das espécies vegetais. Afora as questões estéticas, esse elenco de plantas deverá refletir as características e necessidades do local de projeto. Assim, devem ser observados: clima, insolação, tipos de solos, canteiros sobre laje, ventos intensos, jardins internos, etc.

O ideal é buscar esse repertório vegetal nas **macrounidades naturais** para caracterizar partes ou a totalidade do jardim. Por exemplo, vegetação de subosque é adequada para áreas sombreadas e jardins internos; restinga, para solos que não retêm água e onde há ventos; plantas de campos de altitude são boas para regiões com ventos e solos rasos; vegetação de brejo, para terrenos encharcados; espécies de matas ciliares, para solos com água próxima; espécies que se desenvolvem sobre terrenos rochosos, para situações onde há pouca profundidade de terra.

O **caráter plástico** ou a imagem final do jardim também pode derivar das plantas das macrounidades. Assim, as espécies da Mata Atlântica estão associadas frequentemente ao jardim tropical brasileiro. Roberto Burle Marx e Fernando Chacel são mestres na

FIGURA 20
Repertório vegetal: os ecossistemas brasileiros oferecem uma grande variedade de plantas ornamentais, desde as que gostam de sombra até aquelas que se desenvolvem em meio à água.

"No processo da escolha das plantas, é normal não encontrar tudo o que se quer e precisar fazer ajustes."

recriação dessa e de outras macrounidades, especialmente em propostas de grande escala, usando caatingas, restingas, manguezais, etc.

Outra questão muito importante é saber onde a vegetação será obtida, se ela está disponível no mercado, se há espécimes em quantidades nos produtores, se os portes e os custos deles são compatíveis com o orçamento do cliente.

No processo da escolha das plantas, é normal não encontrar tudo o que se quer e precisar fazer ajustes. Por exemplo, não existe árvore de copa horizontal que floresça em azul no verão e no inverno esteja sem folhas, ou que tenha o tronco esbranquiçado e raízes que não estraguem o piso. Também não há árvore ideal que tenha porte inicial de 8 m e se desenvolva sobre canteiro de laje, com profundidade de terra de 50 cm.

Nessas situações, é melhor rever as características das espécies prioritárias e importantes para o seu projeto, e que devem ser mantidas, e aquelas que são menos importantes e secundárias, e podem ser descartadas para viabilizar a escolha final de outras espécies.

Minha experiência mostra que a volumetria e os aspectos de adaptabilidade e sobrevivência das espécies devem prevalecer sobre os demais. E também que as substituições de plantas ficam mais fáceis – quando não estão disponíveis no mercado –, desde que seja claro o critério inicial de seleção.

Uma vez definidos os conceitos gerais do projeto pela maquete, o passo seguinte é avançar no estudo dos volumes vegetais, suas características e seu potencial no desenho dos espaços. Para tanto, sempre deverá ser previsto o estágio final de desenvolvimento da vegetação, ou seja, seu porte adulto. Porém, não se pode desconsiderar as diversas fases de crescimento do conjunto e suas necessidades específicas.

"Nessas situações, é melhor rever as características das espécies prioritárias e importantes para o seu projeto, e que devem ser mantidas."

Estratos vegetais

Há três tipos principais de estratos: arbóreo, arbustivo e de forração. O estrato arbóreo é aquele em que o observador atravessa confortavelmente por baixo da folhagem. O estrato arbustivo dificulta ou impede o trânsito livre e sua altura está pouco acima ou abaixo da linha visual do observador. O estrato de forração compõe tapetes pelo chão, possibilitando ou não que se passe sobre eles. Todos eles devem ser planejados de modo integrado com os demais elementos dos jardins, como pisos, bancos, muretas, muros, escadas, edificações, rochas, água, etc.

Para facilitar a compreensão, é interessante associar o efeito desses estratos verdes com as superfícies da arquitetura, resultantes de materiais construtivos – o plano de piso, o plano de parede, o plano de teto. O estrato de forração equivale ao plano de piso e é constituído pelos gramados, que permitem o caminhar, ou pelas plantas rasteiras, que podem estar conjugadas a passeios, etc.

FIGURA 21
Principais tipos de estratos verdes.

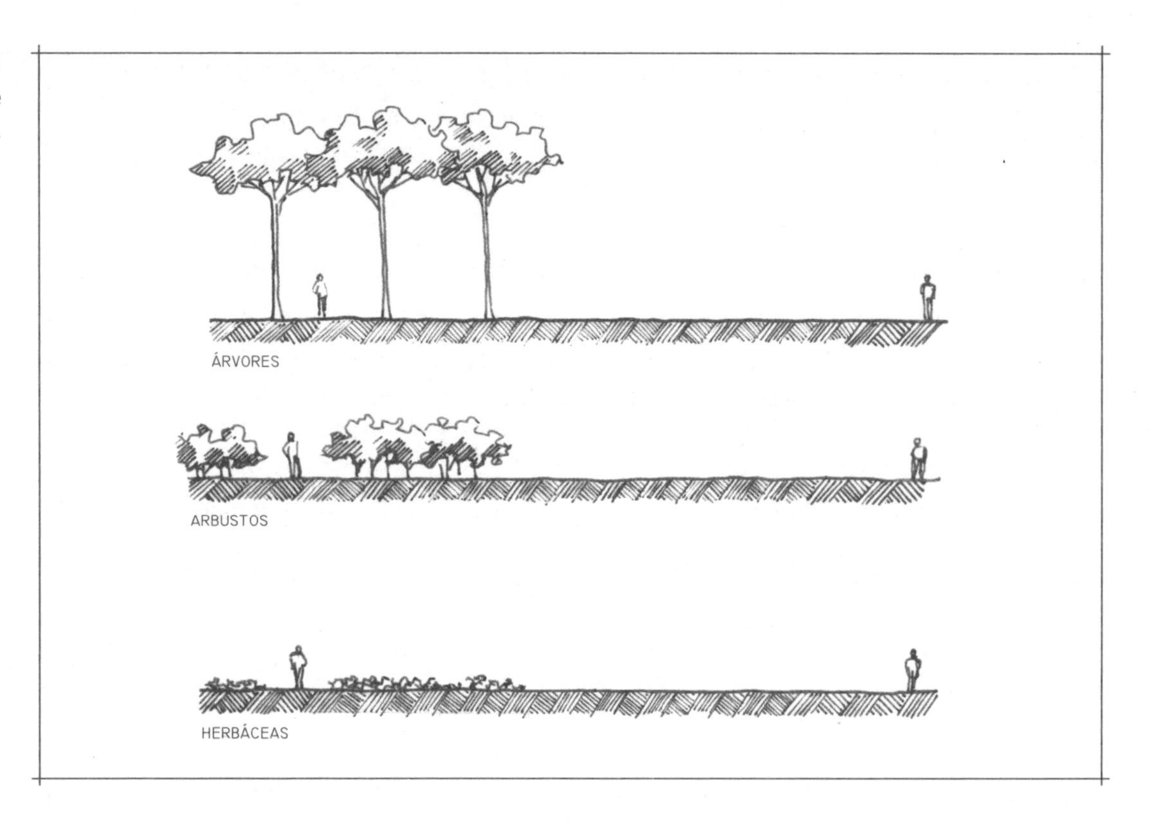

FIGURA 22
Plano de piso: gramados e plantas rasteiras.

FIGURA 23
Plano de parede: arbustos e determinadas árvores para cerca viva.

FIGURA 24
Plano de teto: copas das árvores.

O estrato arbustivo corresponde ao plano de parede. Pode ser formado por arbustos altos, médios e baixos e por determinadas árvores, que funcionam como muros vegetais. São chamados popularmente de cercas vivas e têm papel importante para criar intimidade e aconchego nos lugares, e também para bloquear vistas indesejáveis, como as de edificações vizinhas, janelas que possam devassar a intimidade do jardim, cenários desinteressantes, etc.

O estrato arbóreo equivale ao plano de teto. É desenhado pela superfície inferior das copas, propiciando sombra e repouso ao usuário. No meio urbano, todos esses estratos podem ser pensados para dialogar com os volumes edificados, fazendo que as ruas se ampliem ou se tornem acolhedoras, se forem largas ou extensas demais.

Projetando com árvores

3

Há diversas possibilidades de trabalhar com árvores no plano de massas vegetais, mas é preciso saber inicialmente se a **área disponível** para o projeto tem condição de recebê-las.

Devido às grandes dimensões de seu porte, as árvores necessitam de terrenos relativamente generosos para seu desenvolvimento. Nas cidades, essa condição existe geralmente em espaços públicos, como parques, praças e sistema viário (calçadas, canteiros centrais e rotatórias), ou mesmo em áreas de outra natureza, como condomínios

FIGURA 25
Necessidades de crescimento: as árvores dependem de terrenos amplos, como parques, praças e ruas, para seu completo desenvolvimento.

"Nos centros urbanos, as formas de planejamento e ocupação dos bairros condicionam a arborização."

residenciais horizontais ou verticais, empreendimentos comerciais, clubes, indústrias, escolas, creches, hospitais, locais religiosos, cemitérios, aeroportos, rodoviárias, etc.

Condicionantes da arborização

Nos centros urbanos, as formas de planejamento e ocupação dos bairros condicionam a arborização. Em outras palavras, há certas regiões com parcelamento do solo e diretrizes de ocupação que incentivam a presença de árvores, como nos bairros-jardim. E há outros setores urbanos nos quais é extremamente complicado plantar árvores, caso dos loteamentos de interesse social, que dispõem de lotes não maiores que 125 m^2 e calçadas tão estreitas que dificultam o caminhar sobre elas.

Geralmente os espaços livres que possibilitam o plantio resultam dos seguintes fatores:

FIGURA 26
Dimensão dos lotes:
podem ou não favorecer o
plantio de árvores.

- Formato dos lotes, dimensões das glebas, taxa de ocupação máxima, recuos mínimos, índices máximos de aproveitamento, porcentagens de áreas permeáveis e áreas ajardinadas obrigatórias.
- Largura dos passeios que permitam arborização e canteiros sem atrapalhar o fluxo dos pedestres, inexistência de fiação aérea, largura das ruas, dos canteiros centrais e dimensões das praças rotatórias.
- Distribuição e frequência das praças, áreas verdes, áreas de proteção permanente, áreas não edificantes e parques no tecido urbano.

FIGURA 27
Calçadas largas e sem fiação: são ideais para a introdução de árvores.

"A árvore de copa horizontal forma um teto, uma sombra, um lugar aconchegante para quem se senta sob seu dossel."

- Localização dos clubes, das áreas institucionais, áreas militares e áreas verdes nos condomínios e loteamentos residenciais.

Tipos de copas

No plano de massas vegetais, é interessante tirar proveito, quando possível, dos dois grandes grupos de árvores, classificados segundo seu tipo de copa. Trata-se das espécies com **copa horizontal** e com **copa vertical**. O primeiro grupo possui o diâmetro da copa maior que a altura. O segundo tem diâmetro da copa menor que a altura.

A árvore de copa horizontal forma um **teto**, uma sombra, um lugar aconchegante para quem se senta sob seu dossel. Quando plantada junto a uma varanda ou edificação,

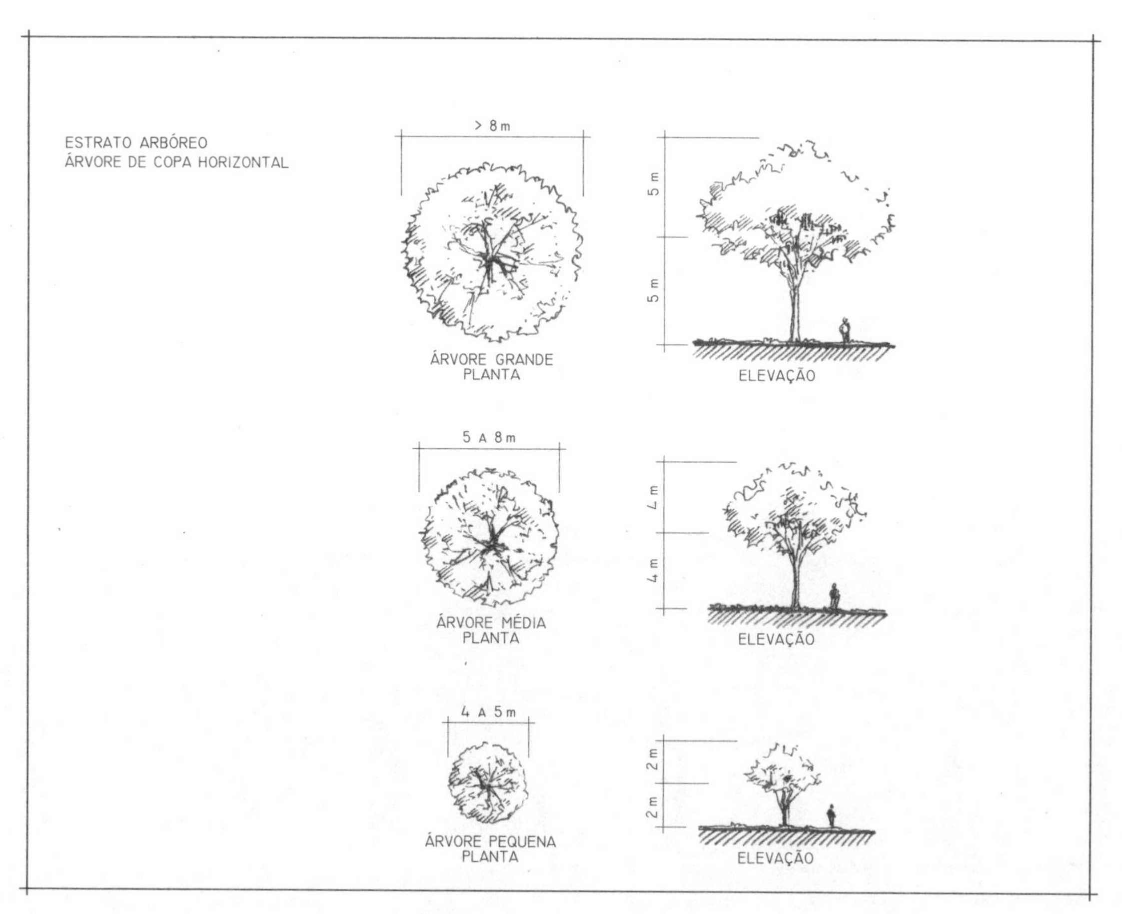

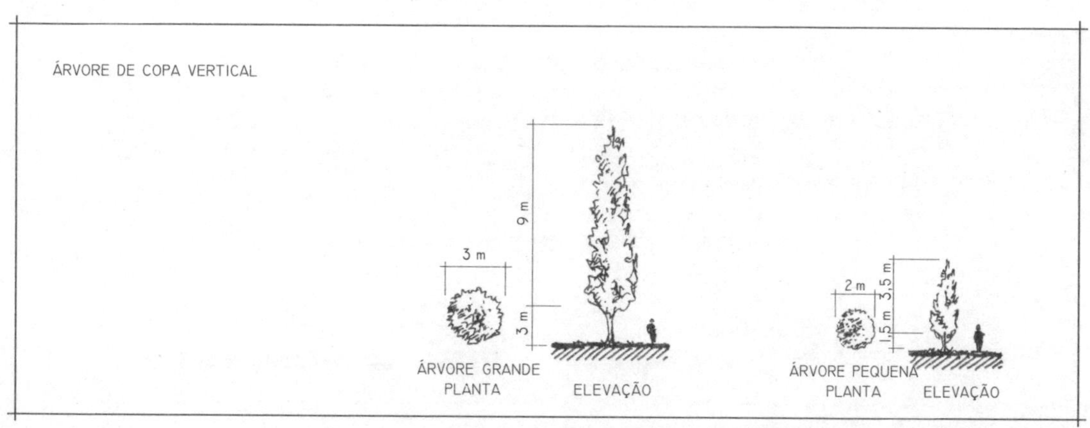

FIGURAS 28A E 28B
Tipos básicos de copas: horizontal e vertical.

FIGURA 29
Tipos básicos de copas: horizontal e vertical.

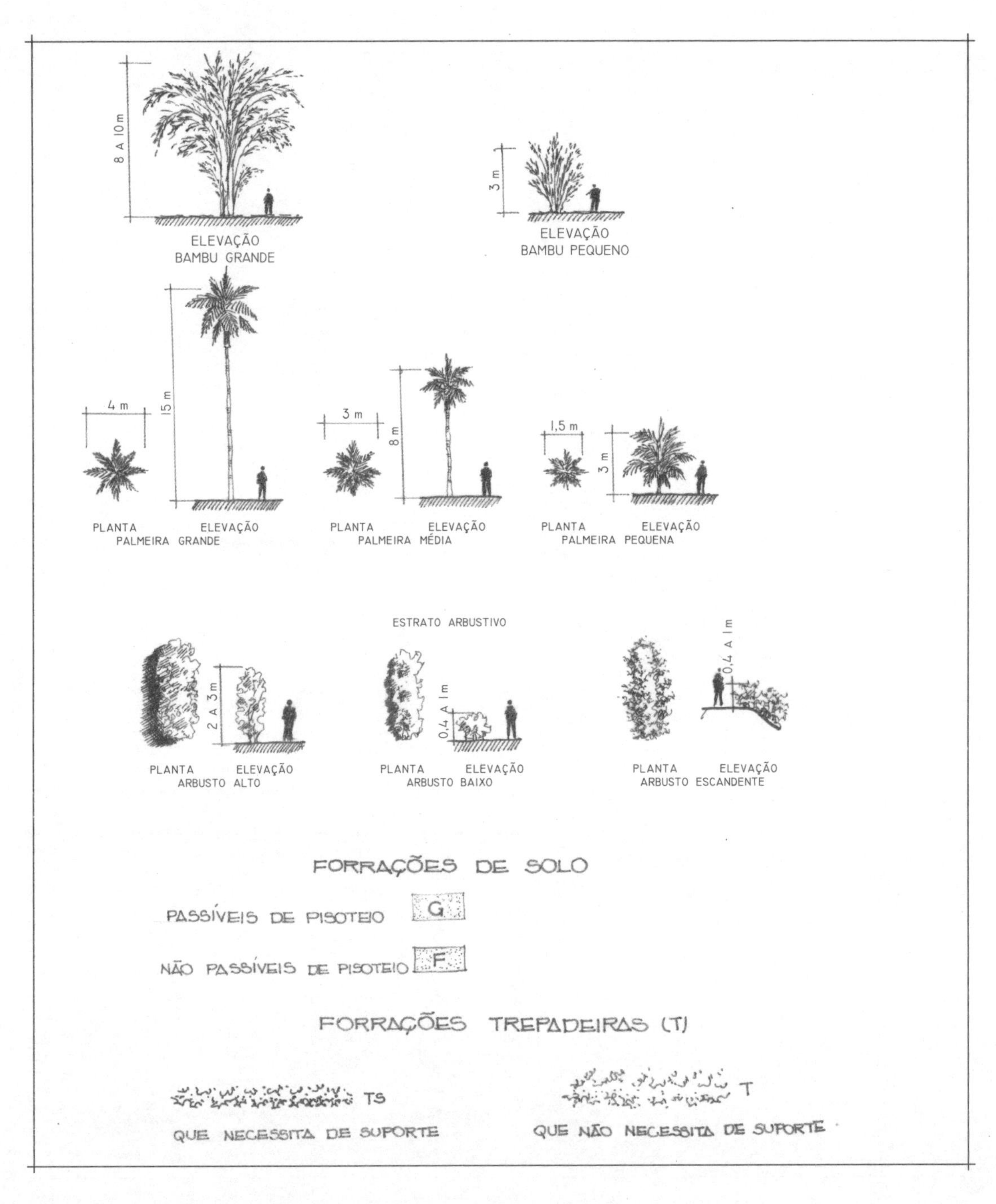

FIGURA 30
Copa horizontal: nada melhor para formar um lugar aconchegante.

pode prolongar as áreas abrigadas, funcionar como espaço de transição entre o interno e o externo e mesmo como quebra-sol para portas e janelas voltadas ao poente.

A árvore de copa vertical praticamente não proporciona nenhum espaço sob sua copa, mas sua forma vista a distância pode ser um importante ponto focal. Quando enfileiradas, as copas verticais formam grandes muros verdes que escondem vistas desinteressantes e barram o vento indesejado.

"A árvore de copa vertical praticamente não proporciona nenhum espaço sob sua copa, mas sua forma vista a distância pode ser um importante ponto focal."

Conhecendo as raízes

É essencial que se conheça o espaço necessário para o crescimento das raízes das árvores, evitando problemas com elementos construídos próximos. No caso da execução de alicerces, fundações ou subsolos nas imediações de espécime de grande porte, é

FIGURA 31
Formato das raízes: derivam dos esforços a que estão sujeitas as copas.

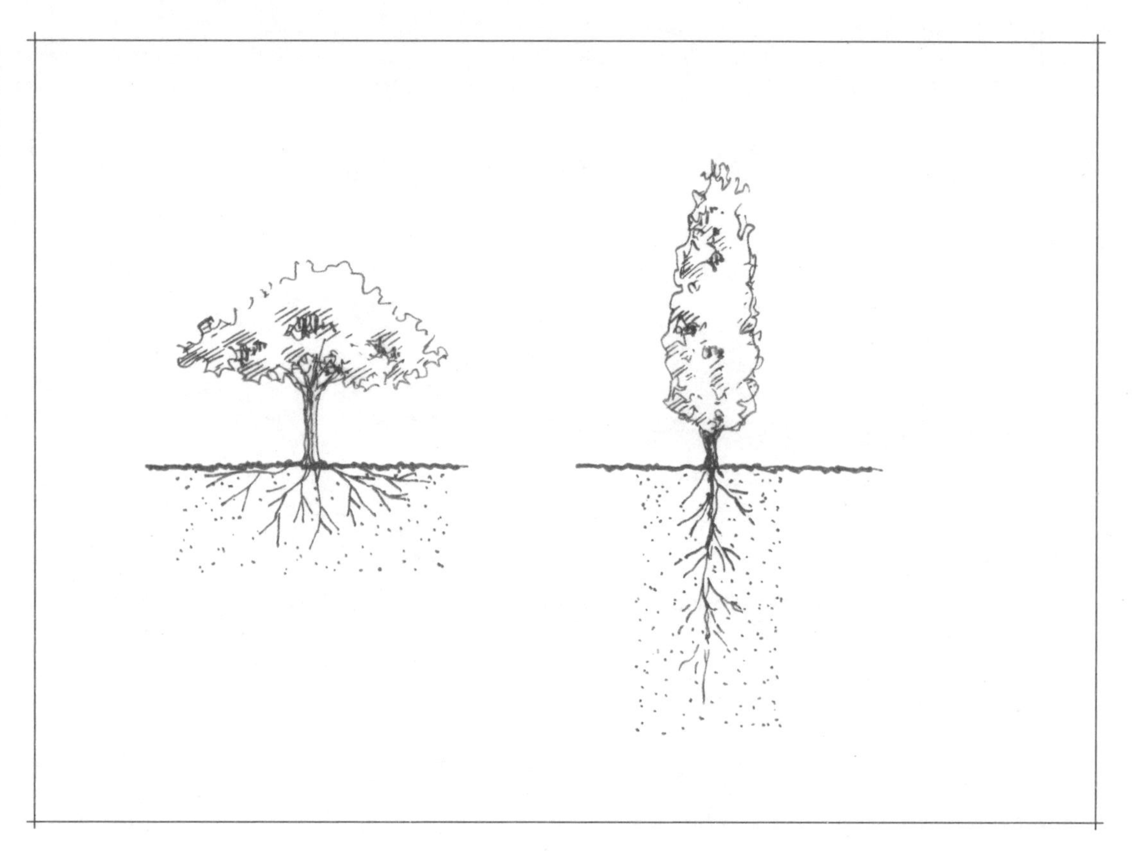

necessário tomar cuidado para não desestabilizar as raízes e provocar a queda da árvore. O conhecimento do comportamento das raízes orienta igualmente a escolha de espécies que poderão ficar nas proximidades de canalizações e galerias com infraestrutura nas ruas, o que evitará danos.

Segundo Harry Blossfeld, em seu livro *Jardinagem*, as raízes em geral se desenvolvem no solo ocupando um volume semelhante ao da copa. Imagine um espelho no chão, refletindo a copa – essa imagem corresponderá ao **volume das raízes**. Portanto, para se saber qual é a extensão das raízes de uma árvore, basta apenas uma comparação com a forma da copa.

Árvores de copa vertical possuem raízes pivotantes, que são mais profundas que as de copa horizontal. As raízes de copa horizontal tendem a aflorar no solo, podendo levantar pisos que estiverem por perto. Tanto em um como em outro caso, as formas das raízes derivam de princípios de estabilidade física: a árvore de copa horizontal desenvolve raízes horizontais que compensam o peso e o balanço de galhos extensos. Por sua altura, a árvore de copa vertical está mais sujeita a ventos fortes e, por isso, precisa de uma ancoragem profunda para não tombar.

Quando o lençol freático é alto, com a água próxima à superfície do solo, e as espécies não são adaptadas a esse hábitat, as raízes tendem a subir, buscando ar para sua sobrevivência. Nesse processo, elas afloram, prejudicando pisos e passeios que estiverem em seu entorno.

Conjuntos homogêneos

É possível extrair resultados interessantes com o plantio de grupos de árvores da mesma espécie, formando conjuntos homogêneos. As figuras 32 e 33 mostram como é possível obter efeitos diferentes com a mesma espécie. Na figura 32, maior afastamento entre os caules e menor número de espécimes desenham um agradável bosque, com sombras entremeadas por áreas de luz.

Na figura 33, o resultado é bem diferente. Reduzindo-se o espaçamento no plantio das mudas, obtém-se um bosque mais vertical, com marcante presença dos troncos, como um paliteiro que comprime visualmente os espaços sob o maciço das copas. Nesse exemplo, a sombra será mais escura e os galhos inferiores perderão as folhas, sugerindo maior altura. Em outras palavras, a sensação final será próxima daquela experimentada numa catedral gótica, bem mais monumental e menos aconchegante que no caso da figura 32.

Em comparação com a figura 34, a vegetação apresentada na figura 35 dissimula uma área maior da paisagem. Assim, o maciço de árvores de copa vertical mostra-se

FIGURA 32
Resultado com a mesma espécie: bosque horizontal.

FIGURA 33
Bosque vertical.

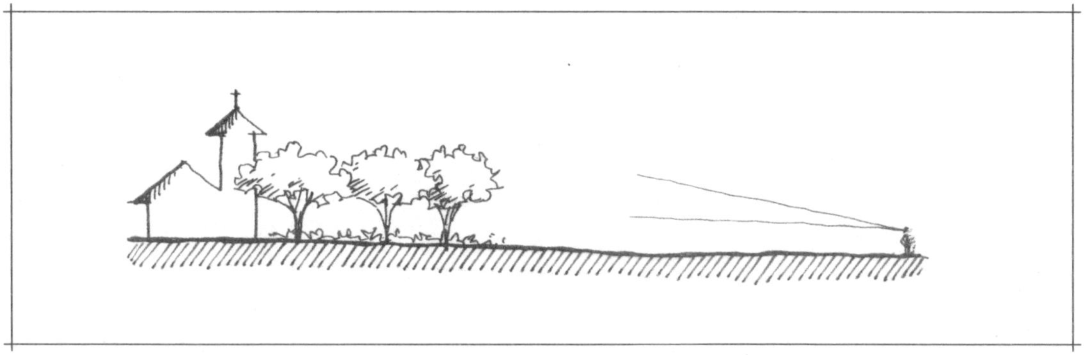

FIGURA 34
Área emoldurada
pela vegetação.

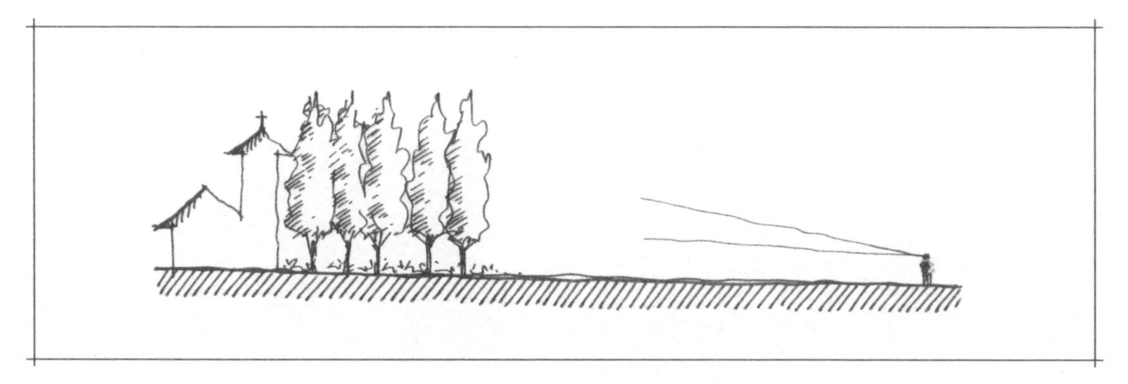

FIGURA 35
Área dissimulada
pela vegetação.

mais eficiente como elemento de vedação. Em compensação, o renque de árvores horizontais libera, em geral, a parte superior da paisagem, permitindo a visualização das montanhas ou do topo de edifícios interessantes.

Na figura 36, a copa vertical aparece como pano de fundo do cenário edificado, ampliando a silhueta da paisagem.

Das **sombras**, também se pode tirar proveito. Geralmente o tipo e a densidade das sombras estão diretamente relacionados com a forma do volume e a opacidade da copa. Mas as possibilidades não param por aí. É possível manipular a forma final de troncos, plantando duas ou três mudas da mesma espécie, muito próximas, praticamente na mesma cova, para se conseguir um efeito escultórico. Por exemplo, plantados dessa maneira,

FIGURA 36
Pano de fundo.

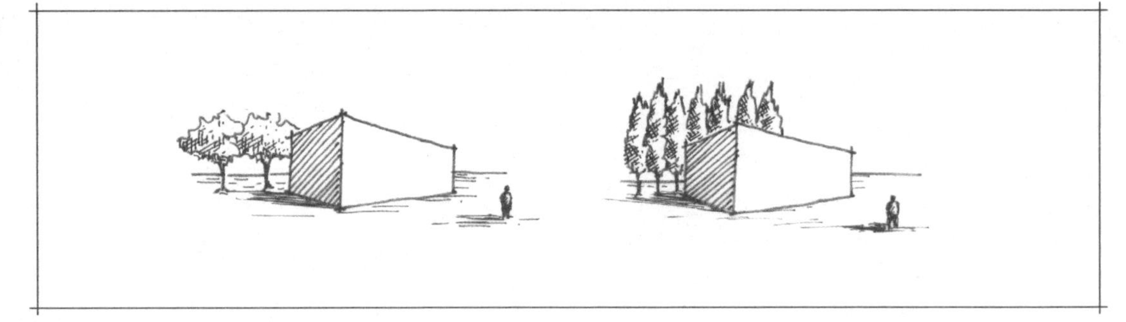

FIGURA 37
Sombras: efeitos ao longo das horas conforme os tipos de copas e plantios.

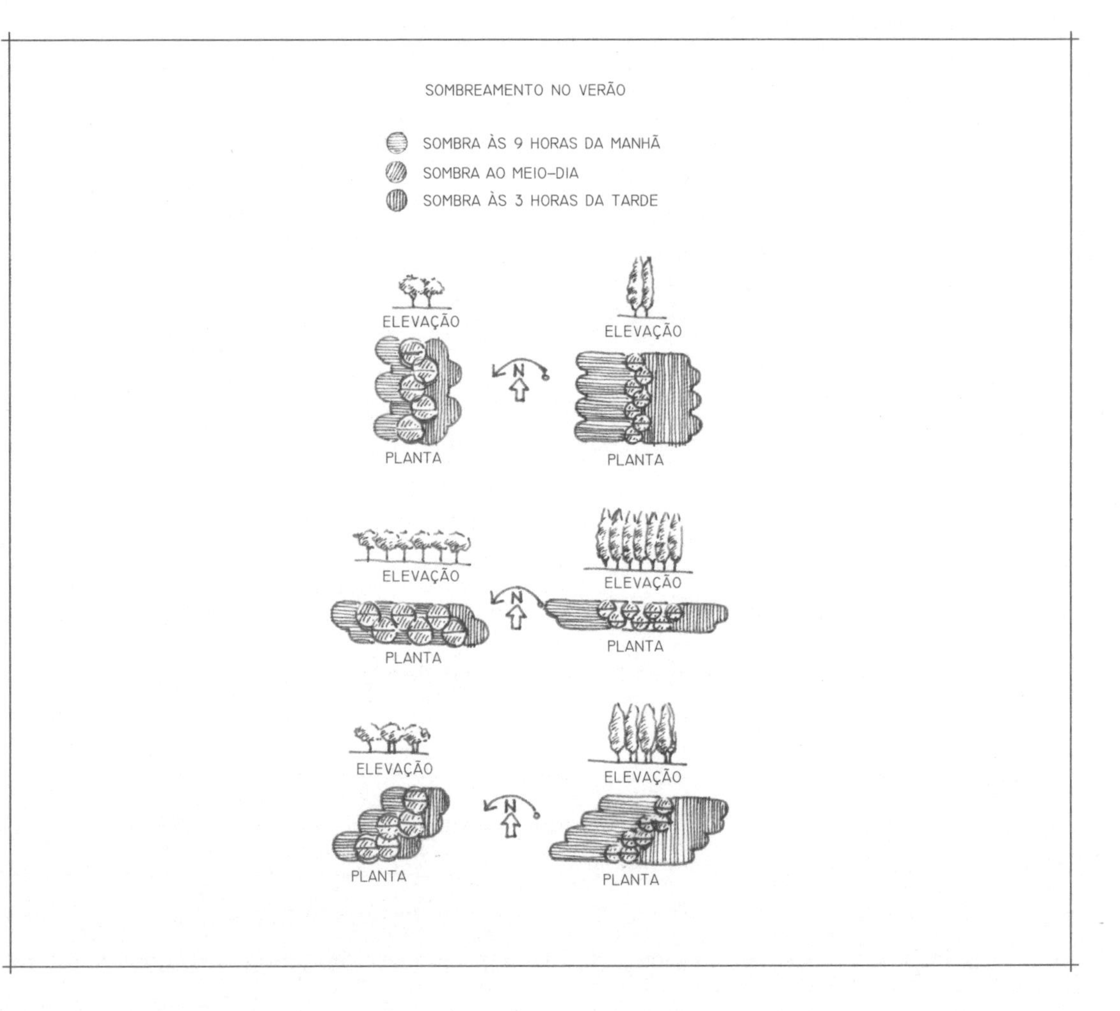

os estipes de palmeira vão crescer inclinados, atribuindo características peculiares ao conjunto.

Maciços heterogêneos

Formados por árvores de diversos portes e com copas de formas, texturas, florações e frutificações variadas, os maciços heterogêneos são ideais para simular **bosques naturais**, como aqueles existentes nas florestas. Funciona melhor principalmente quando seu perímetro é fechado com arvoretas e arbustos altos, barrando as visuais laterais, o que deixa o usuário que se encontra dentro do maciço totalmente envolto pela vegetação, realçando a sensação de contato com a natureza.

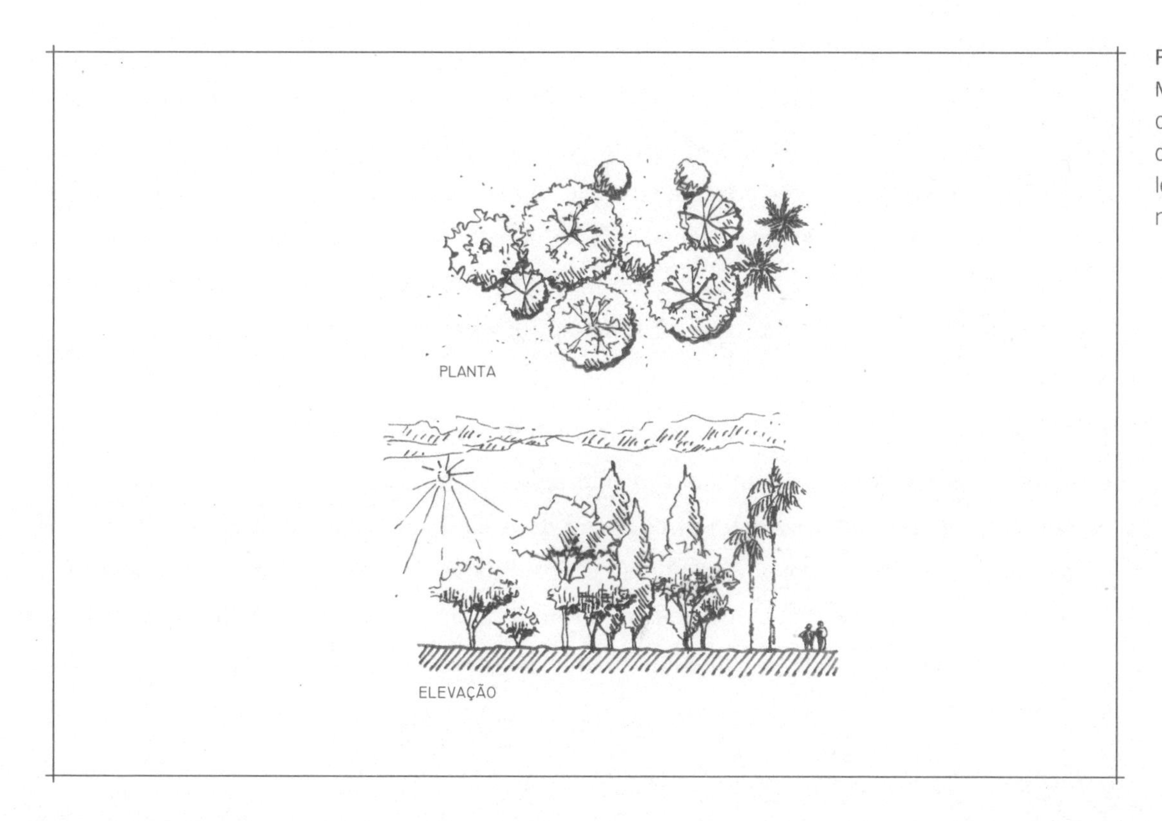

FIGURA 38
Maciços heterogêneos: conjuntos de árvores de diversos tipos e formas, lembrando grupos naturais.

Geralmente a combinação de renques de árvores horizontais e verticais cria espaços desimpedidos sob as copas e associações de caules que enquadram a paisagem ao fundo, já fora do trecho arborizado. Mas para que isso ocorra deve-se minimizar a presença de arbustos, fechando o perímetro da área arborizada.

Estratégias de plantio

O desenho de bosques, empregando grupos homogêneos ou heterogêneos de árvores, pode ser baseado em quatro tipos de estratégias de plantio:

- com as copas distantes umas das outras;
- com as copas tocando-se;
- com as copas entrecruzando-se;
- mesclando as três opções anteriores.

Nos dois primeiros casos, a visualização e a sensação de estar sob um maciço demorará mais tempo para acontecer, principalmente se ele não tiver grande extensão e se as árvores estiverem ainda em crescimento. Se o observador estiver fora dos arvoredos trabalhados segundo esses dois exemplos, não perceberá diferenças substanciais do tratamento de projeto. Ou seja, observando-se a distância, é praticamente indiferente as copas estarem a pouca distância entre si ou se tocarem, pois a percepção visual aproxima os elementos.

O terceiro e o quarto casos são mais frequentes nos projetos. Nos maciços em que as copas se entrecruzam, as mudas são plantadas muito próximas, como acontece nas matas naturais. Isso provoca a diminuição da densidade da folhagem individual, principalmente nas áreas densamente sombreadas, e também aumenta a competição pela luz, fazendo que as árvores se alonguem, o que altera o formato natural de suas copas, embora isso nem sempre seja completamente visível em meio ao conjunto.

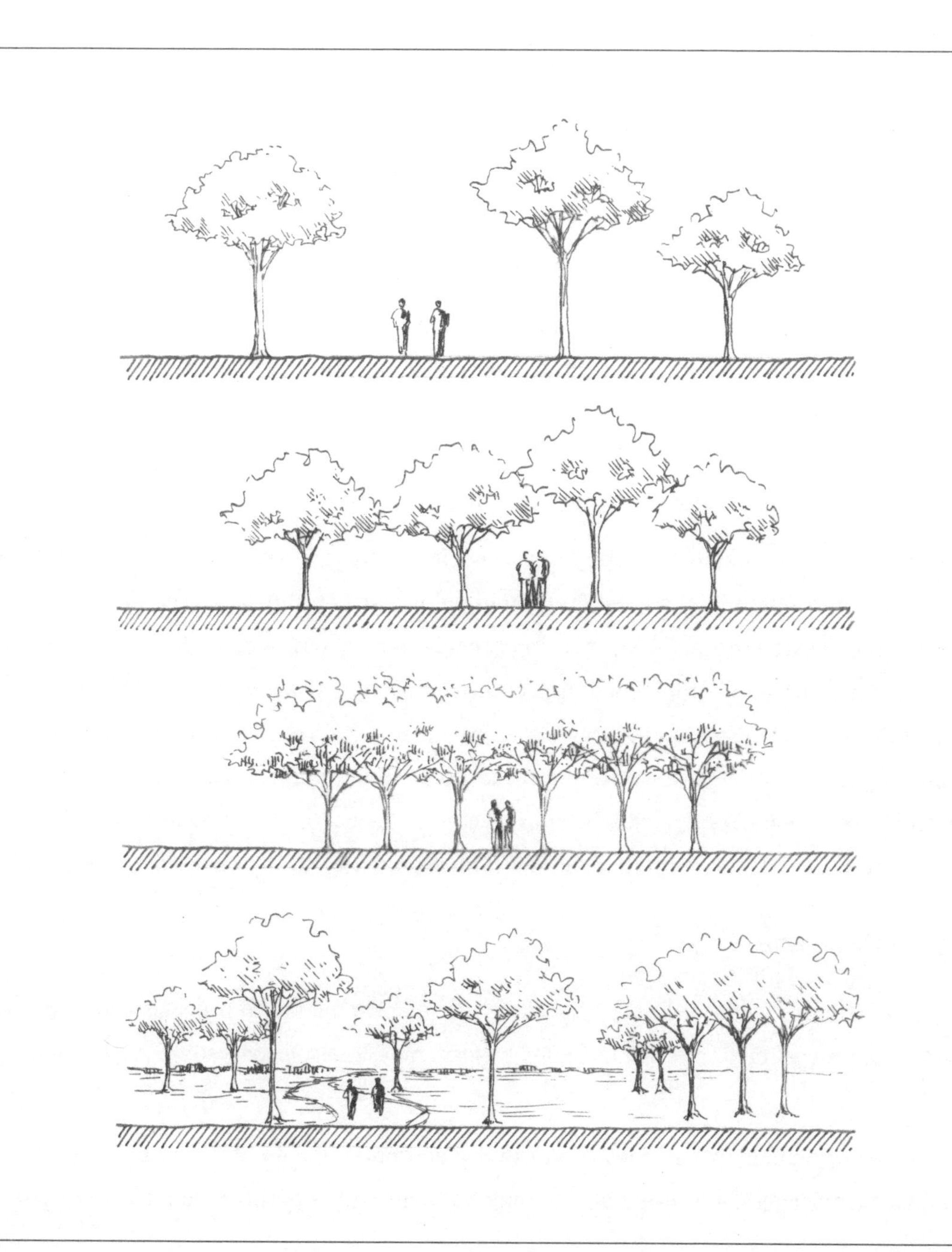

FIGURA 39
Desenho de bosques: estratégias de plantio para grupos homogêneos ou heterogêneos.

"De certo modo, o emprego de agrupamentos heterogêneos é mais recorrente que os conjuntos homogêneos."

Prós e contras

De certo modo, o emprego de agrupamentos heterogêneos é mais recorrente que os conjuntos homogêneos. Isso porque sua variedade de espécies, florações e frutificações em várias épocas não apenas atrai uma fauna diversificada de pássaros, pequenos animais e borboletas como enriquece a composição plástica do jardim.

O comportamento dos grupos homogêneos é mais limitado em vários aspectos: seus indivíduos florescem e frutificam na mesma época, o que atrai menos a fauna ou não proporciona tantas condições de sobrevivência de algumas aves e de alguns insetos e animais. O conjunto fica mais vulnerável a pragas ou doenças características àquela espécie, o que pode resultar no comprometimento de todas as árvores de uma só vez.

Por outro lado, existem vantagens, especialmente em espécies com magníficas florações. Há efeitos inigualáveis proporcionados por conjuntos que perdem as folhas no inverno e entram no período de inflorescência, como ipês, jacarandás e flamboyants. Quanto maior forem os grupos, maior presença terão na paisagem, tingindo-a com cores exuberantes. Além disso, quando as flores caem, o chão vira um deslumbrante tapete, estabelecendo-se um curioso contraponto: tanto a copa quanto o piso ficam coloridos, o que proporciona um espetáculo inesquecível. Na época da rebrota, as luzes filtradas pelo verde-alface das folhinhas igualmente atribuem um caráter mágico ao espaço.

Árvores e cidade

É por meio dos vazios urbanos, especialmente do sistema viário (ruas, calçadas, largos, rotatórias, praças, etc.), que conhecemos e formamos uma opinião sobre a qualidade de uma cidade.

Um dos principais papéis das árvores no espaço público é dar harmonia, regularidade e unidade à paisagem, afastando aquela impressão de caos sugerida pela massa construída

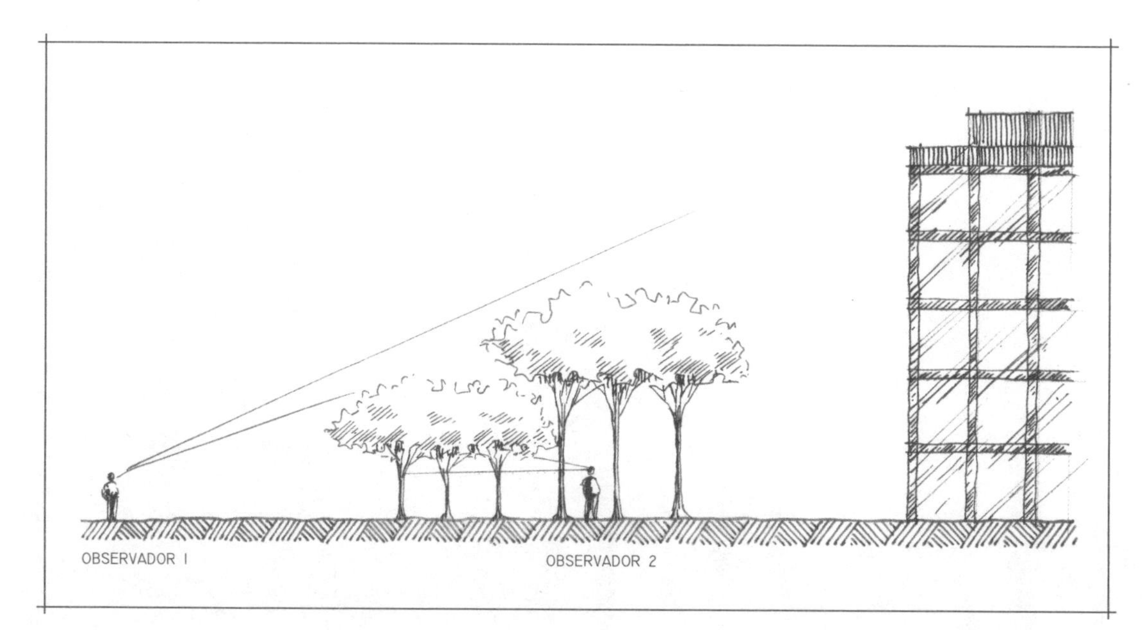

FIGURA 40
Fundo infinito e proximidade das árvores.

descontínua e irregular dos prédios e melhorando as visuais e as escalas para o pedestre. Mas o que é possível fazer com as árvores?

A figura 40 apresenta árvores de copa horizontal de diferentes alturas. Para o observador 1, em ponto distante, as copas criam um fundo infinito, minimizando a massa edificada atrás. Para o observador 2, estar sob as copas evoca uma sensação mais agradável do que caminhar apenas ao lado de prédios.

A figura 41a já é um pouco diferente. É formada por árvores de copas verticais de diferentes alturas. Para o observador 3, em ponto distante, as copas continuam desenhando um fundo infinito, o que dissimula as construções, sugere uma sensação de muro verde e não mais de agradável bosque, sob o qual se pode passear. Por certo, o observador 4 está submetido a uma situação ainda menos agradável, bem mais próximo desse paredão verde.

FIGURAS 41A E 41B
Fundo infinito e
bloqueio visual.

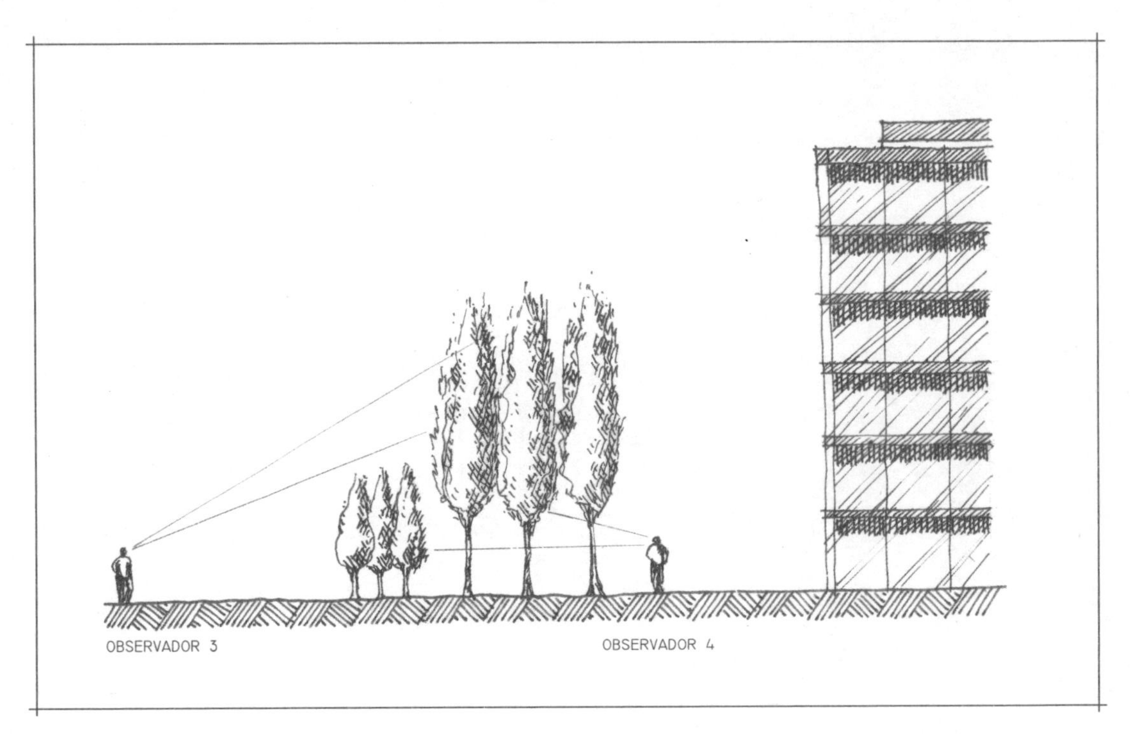

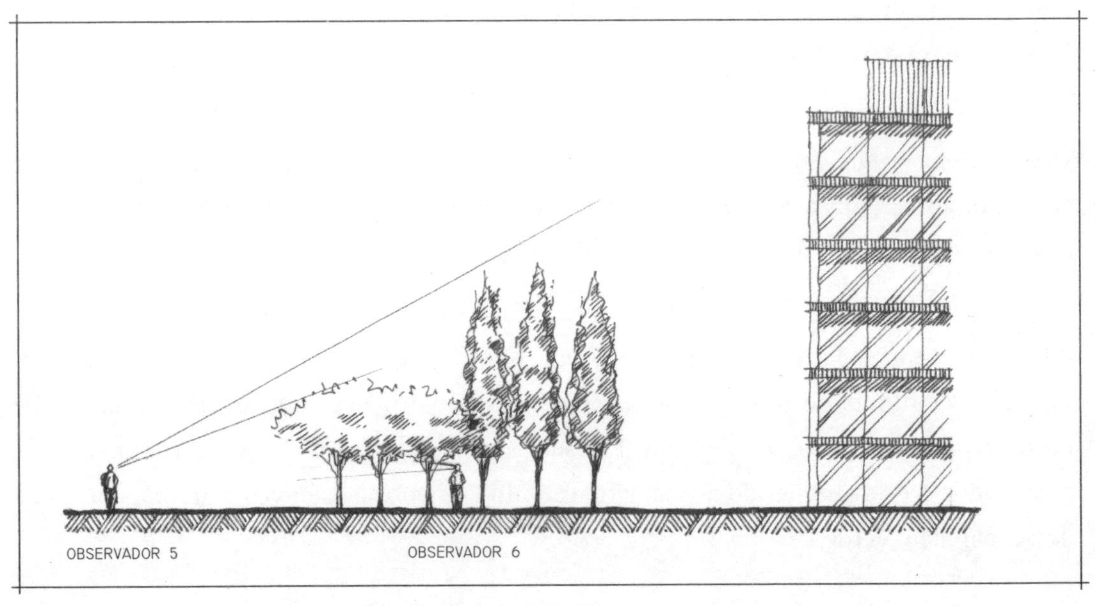

FIGURA 42
Fundo infinito.

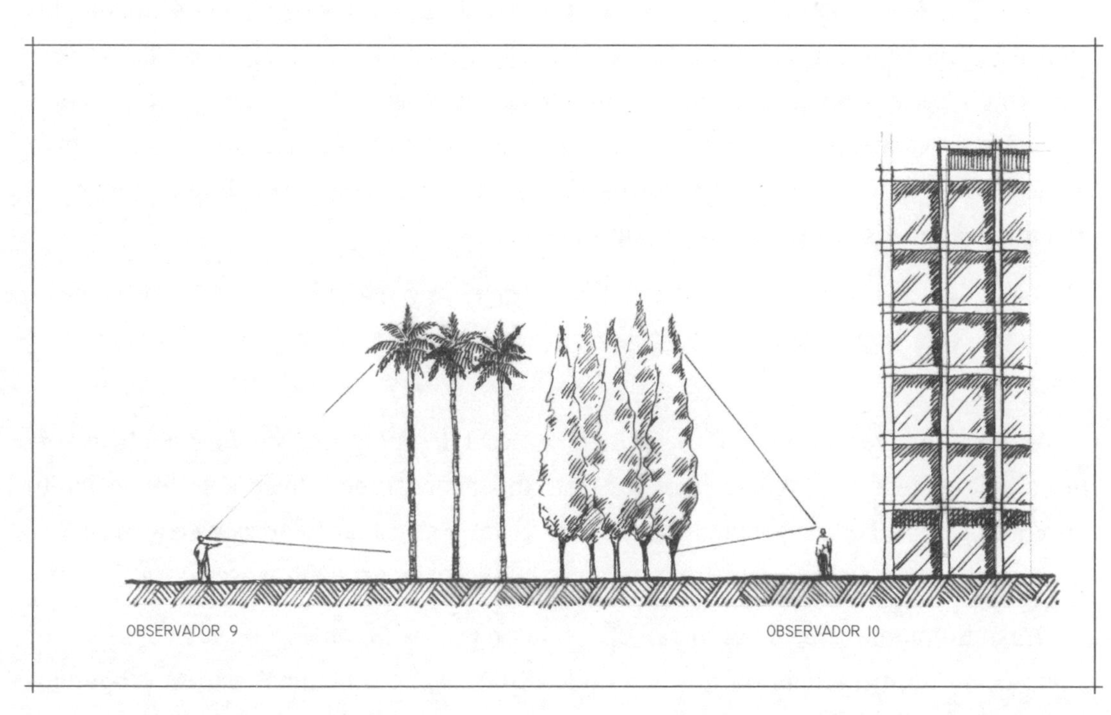

FIGURA 43
Associação de espécies verticais: sem resultado.

"Para desenhar alamedas sombreadas, aleias de árvores com copas horizontais proporcionam uma escala interessante e minimizam a presença ostensiva de elementos construídos."

A figura 41b emprega árvores de copas horizontais e verticais. O observador 5 também experimenta uma sensação parecida a do observador 1. Por sua vez, o observador 6 está na mesma situação do observador 4.

As palmeiras podem enriquecer a paisagem na figura 42, surgindo contra o céu para o observador 8 e contra a massa edificada para o observador 7. Veja como a associação de palmeiras e árvores verticais tem pouca expressão, muito menos que na situação anterior, sem contar que ela é parcialmente visível para o observador 10.

Corredores verdes

As formas lineares, paralelas e geométricas dominantes nas áreas livres urbanas frequentemente induzem a plantios igualmente lineares, paralelos e geométricos. Isso pode ser bom ou ruim, o que merece algumas precauções e controle sobre os resultados.

Para criar monumentalidade, nada supera os renques duplos de palmeiras, plantados com espaçamentos regulares. Para desenhar alamedas sombreadas, aleias de árvores com copas horizontais proporcionam uma escala interessante e minimizam a presença ostensiva de elementos construídos. Para se obter *canyons* verdes, tão severos como os de pedras, árvores de copas verticais são as mais indicadas. Para formar túneis, os bambus e arbustos altos funcionam muito bem.

Tomando certos cuidados, essas estratégias podem ser adotadas em todos os elementos do sistema viário, começando pelas calçadas e chegando aos canteiros centrais e praças rotatórias.

Ao longo das ruas, o plantio de árvores verticais desenha túneis verdes também verticais, que podem equilibrar a presença das edificações, especialmente se forem muito próximas e altas. Porém, podem atrapalhar as vistas e a insolação de casas e apartamentos, principalmente se o recuo frontal desses imóveis for pequeno e a calçada, estreita.

O plantio lado a lado de árvores horizontais nas vias permite que suas copas se toquem como um pergolado ou um túnel que filtra a luz em algumas partes, proporcio-

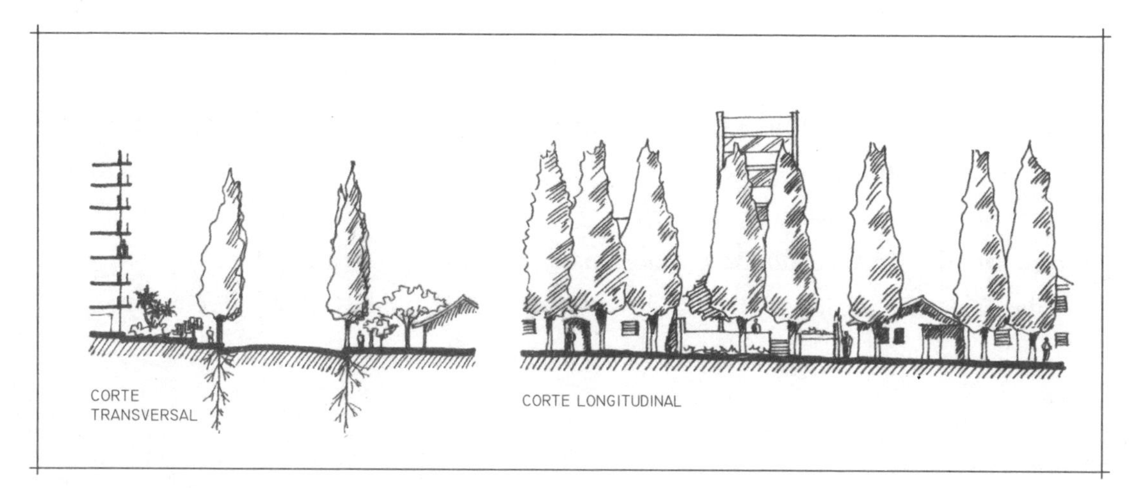

FIGURA 44
Árvores verticais: diluem a massa construída de edifícios.

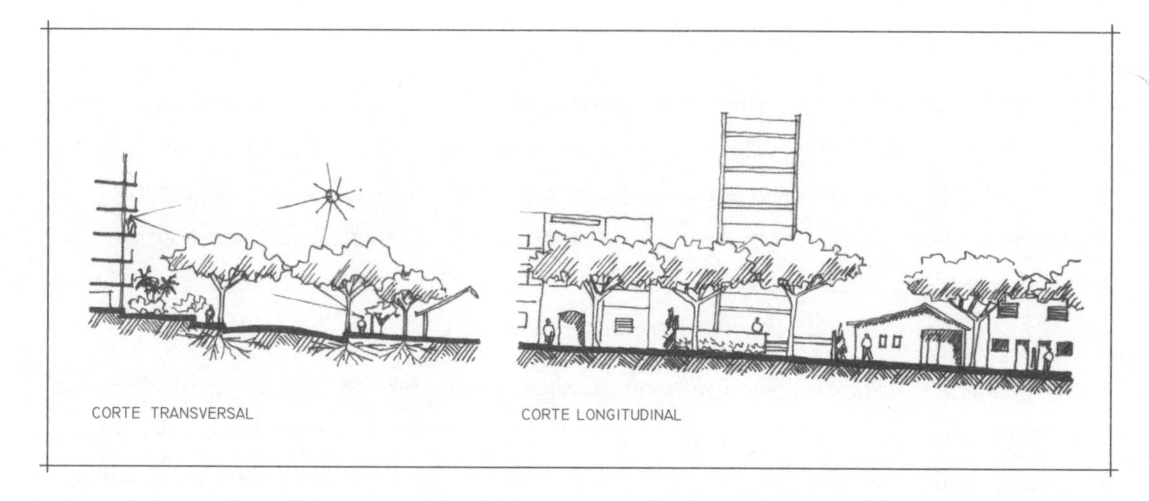

FIGURA 45
Árvores horizontais: humanizam a escala das ruas.

nando escala humana e sombra para quem transita a pé ou de carro. Esses elementos diluem a visão da parte superior dos edifícios, o que torna a paisagem mais harmônica. São bons antídotos a problemas frequentes nas cidades brasileiras, como a mistura desenfreada de estilos e formas dos prédios, o grande emaranhando de postes, fiação aérea, cartazes, placas e poluição visual das pichações.

"As palmeiras são muito expressivas quando vistas ao longe, recortando o céu claro e muitas vezes enquadrando cenas da paisagem."

Marcos verticais

Além das árvores, outras espécies também pertencem ao estrato arbóreo. É o caso das majestosas palmeiras, dos grandes bambus, dos gigantes ciprestes – todos facilmente reconhecíveis até mesmo pelos leigos – e várias outras espécies com dimensões e formas próprias, merecendo um estudo à parte. A seguir, são apresentadas apenas algumas das mais significativas e utilizadas atualmente, de modo isolado ou em grupo.

Palmeiras

Com seu desenho característico na forma de colunas, as palmeiras marcam a paisagem sem vedá-la. Pontuam e subdividem sutilmente o que está aqui e ali (ver capítulo 1), sugerindo magníficas dimensões ao espaço.

As palmeiras são muito expressivas quando vistas ao longe, recortando o céu claro e muitas vezes enquadrando cenas da paisagem. Por isso, ficam bem em cumeeiras, formando renques ou fileiras e mesmo salpicadas em meio a espaços ou bosques onde seu formato se destaque dentre as árvores. Mas há também aquelas de menor altura, que crescem com **múltiplos caules**, formando touceiras. Por serem fechadas desde baixo, são ótimas para vedações verticais, como cercas vivas.

Dispostas em linhas e com ritmos regulares, as palmeiras de grande porte criam lindas **colunatas** que dão movimento à paisagem. Quando plantadas em aleias duplas, formam grandes perspectivas que dão força e maior importância ao ponto focal (ver capítulo 1). Por seu vigor expressivo, as palmeiras merecem cuidados com iluminação noturna. Luzes lançadas de baixo realçam o comprimento de seu estipe e copa.

Mas tome cuidado! Grande parte das palmeiras requer certa distância para ser vista. A proximidade demasiada do observador ou a existência de algum obstáculo horizontal que impeça a visão de sua copa pode transformá-la em mero poste.

FIGURA 46
Palmeiras: definem a paisagem sem bloqueá-la.

FIGURA 47
Colunatas: recurso para destacar um ponto focal.

Dentre as espécies e seus elementos expressivos, vale citar: a imponência da palmeira imperial (*Roystonea oleracea*); a delicadeza do palmito (*Euterpe edulis*); a elegância da seaforcia (*Archontophoenix cuninghamii*); a forma escultórica e a cor da neodypsis (*Dypsis decari*); a copa, a saia de folhas secas e o caule da washinghtonia (*Washinghtonia filifera*); os frutos em grandes cachos e a curvatura dos coqueiros (*Cocos nucifera*); a copa e as folhas da cariota (*Caryota urens*); a forma entouceirada das arecas (*Dypsis lutescens*), das *Caryota mitis*, dos açaís (*Euterpe oleracea*); etc.

Bambus

Touceiras de bambus enfileiradas formam verdadeiras **paredes verdes** fechadas desde baixo. Duas dessas paredes ladeando um caminho constroem um túnel bem vedado, ideal para esconder paisagens não atraentes. Outro uso interessante é jogar com a luz e

FIGURA 48
Túnel de bambus.

a sombra (sob e no final do túnel), como fez Roberto Coelho Cardoso ao elaborar um projeto para uma fazenda onde existia um lago próximo à entrada principal. Construiu antes dele um túnel de bambus para que a luz advinda após o escuro criasse uma sensação maravilhosa de amplitude e beleza do lago. É curioso notar que ele corrigiu o caminho original, fazendo com que a visão do lago ocorresse pelo seu melhor ângulo na paisagem.

"Touceiras de bambus enfileiradas formam verdadeiras paredes verdes fechadas desde baixo. Duas dessas paredes ladeando um caminho constroem um túnel bem vedado, ideal para esconder paisagens não atraentes."

Um túnel de bambus bem conhecido é aquele localizado na estrada que liga o aeroporto e Salvador, na Bahia, apelidado carinhosamente pela população de metrô baiano. Além de seu porte, os bambus possuem colmos de interessantes cores e desenhos.

Entre os bambus e suas características plásticas, destacam-se: o bambu-gigante (*Dendrocalamus giganteus*), de cujos colmos se fazem baldes; as cores vibrantes e as combinações verde-amarelas do brasileirinho (*Bambusa sp.*); a forma graciosa da copa do bambu-comum (B*ambusa vulgaris*); a cor escura do bambu-preto (*Phyllostachys nigra*); o verde-alface do bambu graciles (*Bambusa gracilis*); a touceira do bambu-multiplex (*Bambusa multiplex*); a vedação do bambu-japonês (*Bambusa metake*); a elegância do ereto bambu-mossô (*Phyllostachys pubescens*), quando cresce espontaneamente, ou quando entortado por mãos humanas, que lhe dão contornos escultóricos.

Chorão

Também conhecido por salgueiro (*Salix babylonica*), o chorão se caracteriza pelas ramagens pendentes de folhas estreitas, que balançam ao vento e quase tocam o chão. Gosta de solos úmidos e, por isso, tem sido bastante usado próximo a lagos e espelhos d'água. Lembra uma cabeleira gigante, produzindo efeitos sugestivos quando sua imagem se duplica no reflexo da água. Outra planta com as mesmas características é o *Schinus molle.*

FIGURA 49
Chorão.

"Há vários tipos de pinheiros e ciprestes bastante conhecidos, provavelmente pela característica rigidez e desenho tubular de suas copas."

Pinheiros e ciprestes

Há vários tipos de pinheiros e ciprestes bastante conhecidos, provavelmente pela característica rigidez e desenho tubular de suas copas. São tão populares que, sempre que se fala em árvore vertical, eles logo vêm à mente.

A maior parte deles é importada e evoca lembranças de paisagens distantes, principalmente dos países europeus e de clima temperado, que são povoados de florestas de pinheiros *ever green*.

Uma espécie atualmente muito usada em regiões sofisticadas de São Paulo é a *Juniperus chinensis*, escolhida não apenas por sua bela forma espiralada, mas também por seu alto preço, o que a torna um produto requisitado nos elegantes jardins da cidade.

A única exceção brasileira é o pinheiro-do-paraná (*Araucaria angustifolia*), típico das regiões Sul e Sudeste, onde geralmente encontra-se associado ao podocarpus

FIGURA 50
Pinheiro-do-paraná.

(*Podocarpus sp.*). O pinheiro-do-paraná apresenta lindíssima silhueta em candelabro que bem marca o horizonte da região onde aparece, normalmente áreas altas e frias. Por ter sido quase dizimado pelo comércio de madeira, hoje é protegido por legislação federal e infelizmente tem crescimento lento, por isso é pouco plantado.

Bananeiras

Esse é o nome pelo qual popularmente são conhecidas as espécies da família das *Musaceae*. Gozam de prestígio pelo seu porte, pelo desenho de suas grandes folhas lustrosas e pela beleza de suas coloridas e exuberantes flores. Há várias delas com grande potencial ornamental.

As ravenalas (*Ravenala madascariensis*) apresentam magníficas silhuetas em forma de um perfeito leque gigante, mas não suportam regiões com muito vento, pois este

FIGURA 51
Ravenala.

rasga suas delicadas e imensas folhas. A *Ravenala guyanensis* possui uma flor espetacular, que chega a dois metros de altura.

As helicônias têm variados portes e principalmente uma diversidade enorme de flores, como as pendentes da *H. rostrata* e *H. collinsiana*, as eretas da *H. psittacorum* e *H. bihai*, sem falar nas cores vibrantes de amarelos, laranjas e vermelhos, que podem aparecer isoladamente ou em maravilhosas composições na mesma flor, dependendo da variedade.

Há estrelítzias baixas com flores coloridas, caso da *Strelitzia reginae*, ou com desenho gráfico das folhagens, como a *S. juncea*, e mesmo as interessantes formas das mais altas, como as *S. augusta*.

A maravilhosa família das *Musa* oferece bem mais que a tão popular bananeira de frutos comestíveis. Há a *Ensete ventricosum*, com seu talo vermelho, a *Musa ornata*, que produz flor rosa, a *Musa sumatrana*, com folhas rajadas de vinho sobre verde, e várias outras.

Pandanos

O *Pandanus utilis* talvez seja o mais escultórico de sua família. Apresenta folhas em forma de espada e espiraladas que, ao envelhecerem, são retiradas e deixam sobre o caule uma linda textura sulcada em espiral. Suas raízes são aéreas, partindo do tronco até chegarem ao solo, construindo um espetacular candelabro invertido. À noite, esse efeito do caule pede luzes rasantes para melhor se revelar.

Dracenas

A *Dracaena marginata* e o pau-d'água (*Dracaena fragrans*) são algumas plantas de sua família que foram exaustivamente utilizadas entre as décadas de 1950 e 1960, transformando-se praticamente num símbolo da época. Hoje algumas delas estão sendo revalorizadas. É o caso da *Dracaena marginata* e da dracena arco-íris (*Dracaena tricolor*), que é uma variedade da primeira, mas possui folhagem nas cores vermelho e branco. Seus caules e galhos se bifurcam como numa touceira, são recurvados e às vezes subdivididos, apresentando nas pontas tufos de folhas finas e longas, à maneira de pompons. Outras dracenas, como a *Dracaena arborea*, entouceram menos, possuem folhas maiores e também são muito expressivas.

Pata-de-elefante

A pata-de-elefante (*Beaucarnea recurvata*) é uma verdadeira obra de arte viva. Seu valor ornamental resulta do caule característico em forma de enorme garrafão e da folhagem em tufos nas pontas dos galhos.

FIGURA 52
Pata-de-elefante.

Espécies frutíferas

O emprego de plantas frutíferas nos jardins particulares soma duas vantagens: alia os aspectos plástico e volumétrico do vegetal com a produção de frutas comestíveis, que são ótimas para a alimentação de pássaros e pequenos animais que dão movimento e alegria à paisagem.

Arvoretas frutíferas são indicadas para pátios e pequenos espaços. Em geral, também podem ser plantadas em vasos para varandas e terraços de apartamentos, principalmente quando são ensolarados. Entre elas, destacam-se as pitangueiras (*Eugenia uniflora*), as romãzeiras (*Punica granatum*), as jabuticabas (*Myrciaria cauliflora*) e as laranjeiras (*Citrum sp.*), que já fizeram muito sucesso nos palácios dos reis franceses, figurando até mesmo em setores especialmente dedicados a elas – as *orangeries*.

Há diversas frutíferas miniaturizadas, que também são cultivadas em vasos, como minilaranjeiras, minirromãzeiras, etc. Menos exploradas atualmente em paisagismo são as plantas frutíferas trepadeiras, que se prestam para cobrir caramanchões e cercas de labirintos – maracujazeiros (*Passiflora sp.*), videiras (*Vitis sp.*), etc.

O emprego de plantas frutíferas nos espaços públicos tem sido ponto de discórdia. Alguns acham que a população depreda a árvore na retirada dos frutos. Outros apostam que as frutas nem vão chegar a amadurecer, pois ninguém respeita nada no pé. Mesmo assim não se deixe levar pelas polêmicas, pois elas vêm e passam. E há casos famosos de arborização pública com espécies frutíferas que se tornaram sucesso e marca registrada de algumas cidades. Basta lembrar das mangueiras (*Mangifera indica*) em Belém, no Pará.

"O emprego de plantas frutíferas nos jardins particulares soma duas vantagens: alia os aspectos plástico e volumétrico do vegetal com a produção de frutas comestíveis."

Aromas e temperos

O aroma de flores de árvores pode ser bem-vindo na paisagem. É preciso apenas saber usá-lo de modo conveniente. Entre os perfumes agradáveis e suaves de inflorescências, estão o da magnólia amarela (*Michelia champaca*) e o do jasmim-manga (*Plumeria rubra*). Há outras árvores que exalam cheiros não pelas flores, mas pelas folhas ou cascas, como o eucalipto argentino de folhas prateadas (*Eucalyptus cinerea*), o eucalipto cheiroso (*Eucalyptus citriodora*), alguns pinheiros, a canela, etc.

Entre as arvoretas e seus produtos, são representativos o perfumado jasmim-do-imperador (*Osmanthus fragrans*), que também fornece delicioso chá; o saboroso louro (*Laurus nobilis*), cujas folhas temperam a comida; o aromático cravo-da-índia (*Syzygium aromaticum*); o urucum (*Bixa orellana*), que se origina de sementes de um maravilhoso cacho de frutas vermelhas, muito ornamental e utilizado pelos índios para pintura corporal.

Compondo arbustos e forrações

4

Os arbustos são elementos tão importantes quanto as árvores na elaboração do plano de massas vegetais, mas, em geral, predominam em razão de sua escala nos pequenos e médios jardins residenciais, comerciais e principalmente naqueles sobre laje. São os protagonistas desses ambientes, assim como o estrato arbóreo predomina nas propostas para espaços públicos, melhor compatibilizando-se com áreas de grandes dimensões.

Em decorrência de seu pequeno volume, os arbustos necessitam de pouca profundidade de solo para sobrevivência. Podem ser vistos por toda a cidade, em qualquer jardim, e mesmo plantados em vasos nos ambientes internos. Há grande variedade de formas,

FIGURA 53
Arbustos: formam muros verdes que delimitam espaços.

cores e texturas e seus efeitos podem ser realçados pelo plantio isolado ou em grupos de maciços homogêneos ou heterogêneos, como no caso das árvores.

Arbustos plantados individualmente ou em pequenos maciços podem fazer o papel de escultura no jardim. Para isso, basta apenas planejar um vazio ao seu redor e evitar que sejam confundidos com grupos de outros elementos vegetais. Por outro lado, podem ser reunidos nos mais diferentes conjuntos, formando belos muros verdes ou **cercas vivas**, o que expressa melhor seu potencial delimitador de espaços.

Servem também para neutralizar aquela desagradável sensação de aridez e redução do espaço quando um piso pavimentado encontra-se diretamente com um muro. Por isso, é interessante ter grupos deles junto às paredes que limitam os lotes para dissolver essa impressão, utilizando-se dois tipos básicos: os arbustos altos e os baixos, comentados a seguir.

Arbustos altos

Nessa classificação, entram aqueles que têm copa com altura acima do olho de um observador em pé, ou seja, por volta de 1,50 m, possibilitando que funcionem como anteparo e encubram elementos a distância. Pelas proporções do seu volume, com galhos e folhagem desde baixo, os arbustos não permitem a utilização do espaço sob suas copas, como acontece com as árvores sobre gramados.

Portanto, o principal papel dos arbustos é vedar e ajudar na definição de escalas e lugares aconchegantes nos jardins. Quando se encontram com os gramados, criam fundos infinitos, como dos cenários fotográficos, sugerindo áreas virtualmente maiores.

Nas vias expressas, podem figurar nos canteiros centrais de modo a minimizar interferências de faróis dos carros que trafegam em sentidos opostos e prejudicam a vista. Nas pistas de caminhadas e corridas dos parques, os arbustos altos não deixam avistar as pessoas próximas, dando a sensação de bosque mais denso, com menos gente e mais natureza. Paredes de alvenaria podem ser redefinidas com a presença deles, minimizando o impacto dos elementos construídos na paisagem urbana.

Quando a intenção for a de que o maciço de arbustos altos seja visualizado apenas de um lado, não é necessário plantar largos volumes compactos, com muitas mudas da espécie. Isso também dificulta o acesso a seu interior e a manutenção, propiciando o depósito de detritos e a proliferação de animais indesejáveis. Geralmente, seu plantio é mais eficiente em filas estreitas.

"O principal papel dos arbustos é vedar e ajudar na definição de escalas e lugares aconchegantes nos jardins. Quando se encontram com os gramados, criam fundos infinitos, como dos cenários fotográficos, sugerindo áreas virtualmente maiores."

FIGURAS 54A, 54B E 54C
Arbustos altos: definem limites e sugerem fundos infinitos, que ampliam virtualmente o jardim.

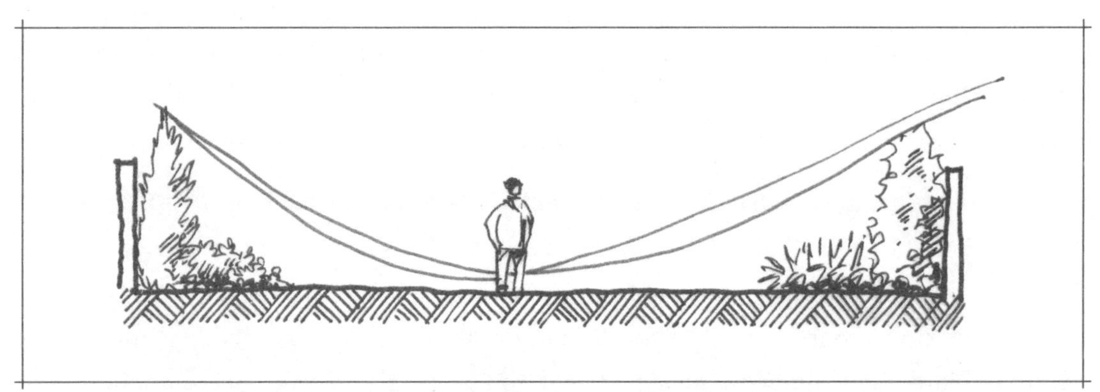

FIGURA 55
Proteção nas vias: os arbustos altos atenuam o efeito dos faróis dos automóveis.

FIGURA 56
Plantio em linha: facilita a manutenção, evitando áreas de difícil acesso para a retirada de folhas secas.

Cercas vivas

Em alguns casos, a classificação dos elementos que compõem o estrato arbóreo e o estrato arbustivo não é rígida. Há espécies que, embora tenham **porte alto**, com 3 m a 4 m, se encaixam melhor no grupo dos arbustos altos do que na categoria das árvores. É o que acontece, por exemplo, com a *Dracaena marginata* ou a *Yucca elephantipes*. Por outro lado, arbustos como o hibisco (*Hibisco rosa sinensis*) e o malvavisco (*Malviscus arboreus*), muito utilizados em cercas vivas, transformam-se em perfeitas arvoretas, quando já preparados no viveiro com podas de formação, e são ótimos para ruas estreitas e sob fiação aérea de energia.

Nos jardins de antigas residências, é comum encontrar cercas vivas formadas por espécies do estrato arbóreo mantidas baixas por meio de **podas regulares**. As mais frequentes são a figueira (*Ficus microcarpa*) e a aglaia (*Aglaia odorata*). Embora chegue a 15 m de altura como exemplar isolado, a figueira se presta a criar muros verdes quando

FIGURA 57
Dracena e yucca.

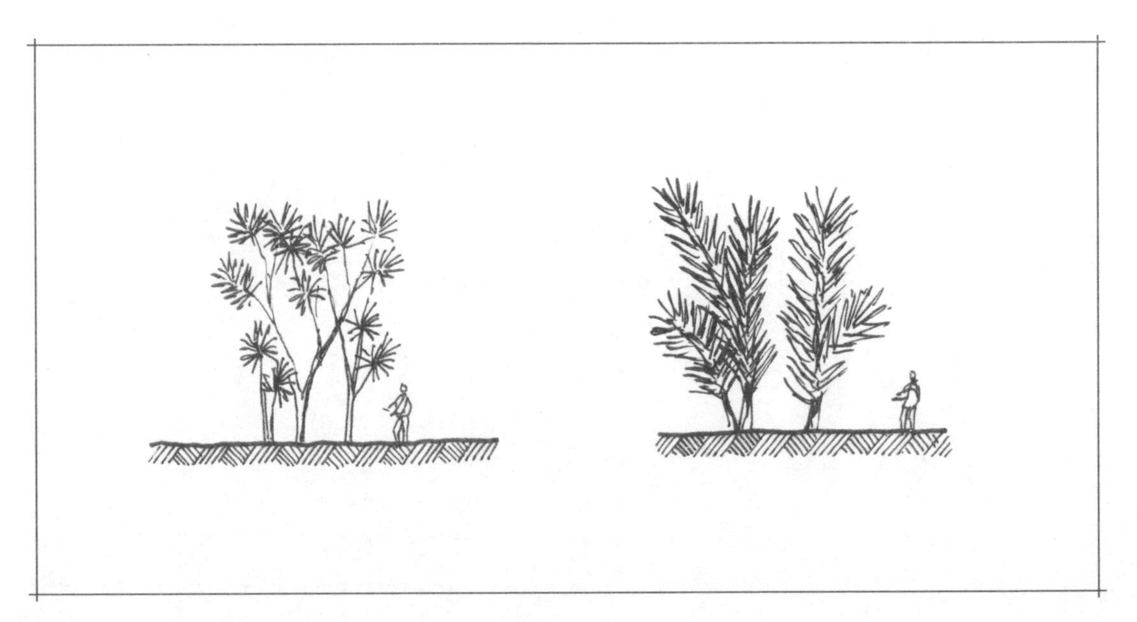

FIGURA 58
Muros verdes: uma das possibilidades dos arbustos altos, mantidos com poda ou não.

plantada em compasso de menos de 1 m e submetida a constantes podas. Caso contrário, se transforma em árvore.

Nos loteamentos onde não se permite a construção de muros frontais e laterais entre os lotes, as cercas vivas são muito utilizadas. Nesse contexto, as espécies mais frequentes são hibisco ou mimo (*Hibiscus rosa sinensis*) e cedrinho (*Cupressus sp.*). Nessas áreas, é comum haver também arbustos isolados podados nas mais diferentes formas, apresentando desde motivos geométricos até representações de animais, mobiliário, etc.

Arbustos baixos

São aqueles cuja altura da folhagem está abaixo da vista de um observador em pé e não bloqueiam cenas e panoramas. A imagem popular do jardim repleto de flores geralmente está relacionada com os elementos do estrato arbustivo baixo, composto de imensa gama de espécies com cores, texturas e flores variadas.

Os arbustos baixos cumprem vários papéis nos jardins e espaços urbanos:

- Auxiliam na orientação do fluxo de pedestres, pois cercam os caminhos sem obstruir a visão.
- Funcionam como elementos de proteção, impedindo a aproximação e advertindo para algum perigo, como a beira de um talude, e também podem evitar o contato físico com a água, sem comprometer a fruição dela.
- Observados sempre de cima, permitem criar efeitos estéticos interessantes, graças às cores, texturas e florações variadas. Esse é o caso dos famosos jardins de tapeçaria franceses, que tomam os arbustos baixos como elemento plástico central de suas composições. Se usados no topo de uma elevação do terreno, duna ou no alto de um talude, ajudam a bloquear vistas desinteressantes.

FIGURA 59
Arbustos baixos: emolduram os caminhos, sem impedir a visão.

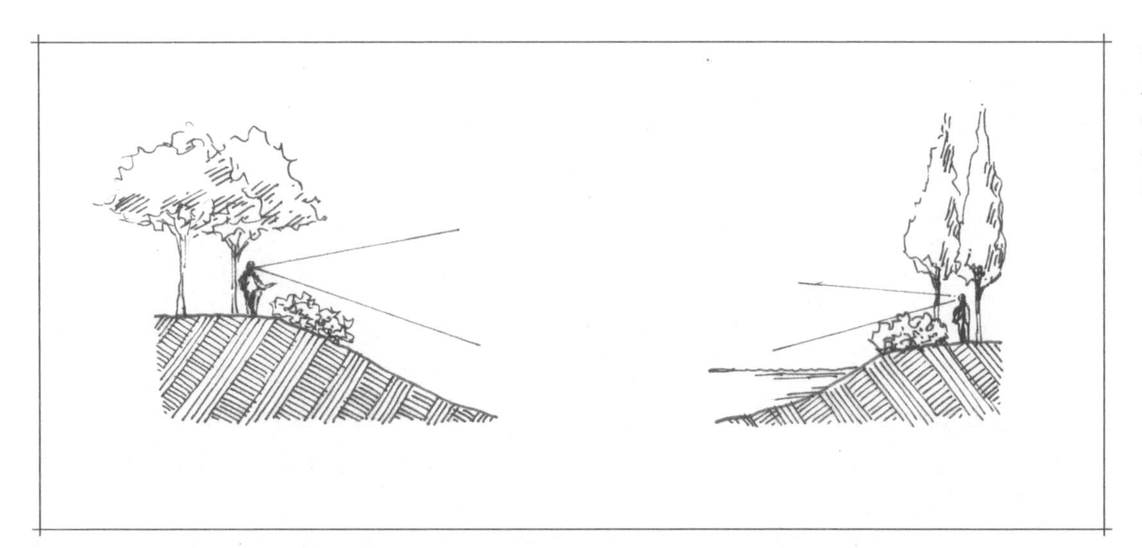

FIGURA 60
Arbustos baixos: evitam que o caminhante se aproxime de algum talude perigoso ou da água.

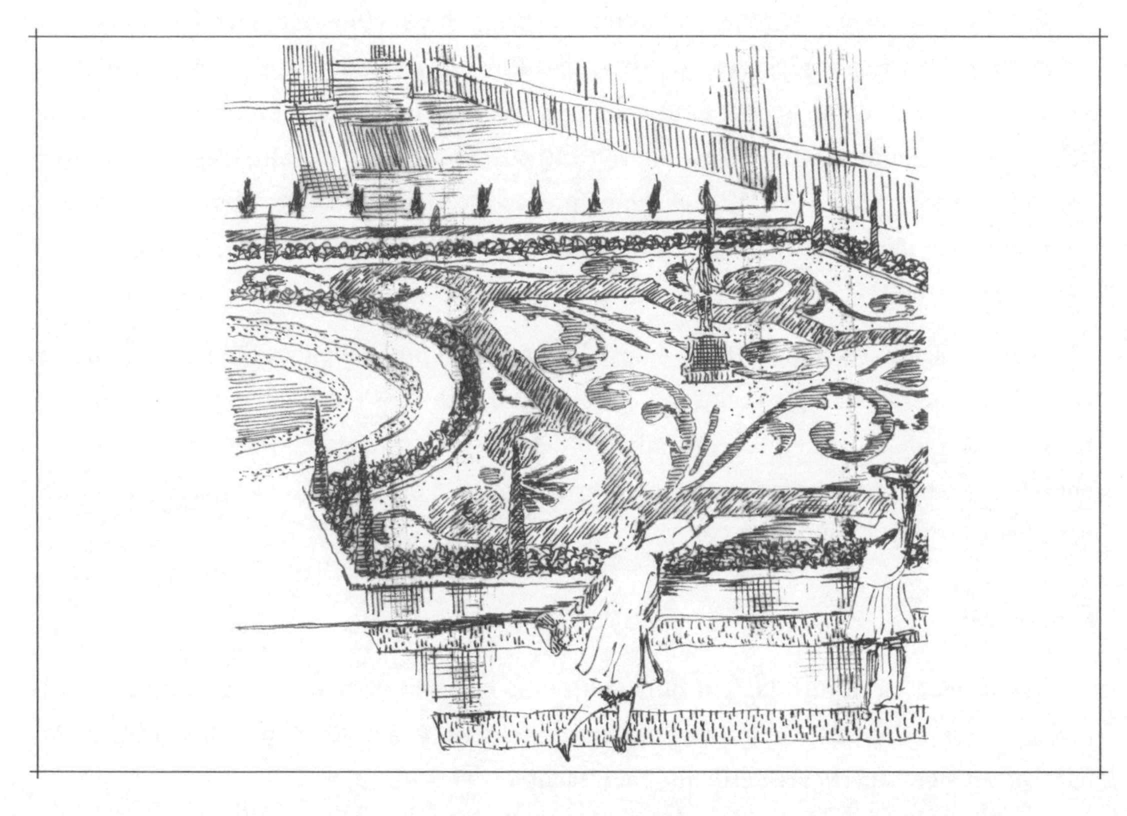

FIGURA 61
Parterres: exemplo de canteiros feitos com arbustos baixos, muito utilizados nos jardins barrocos franceses.

"Os arbustos baixos são classificados em anuais e perenes. Os primeiros vivem por poucos meses, o que demanda replante constante. [...] Os demais não desaparecem após a florada e seu replante se faz, geralmente, após um período maior de dois anos."

Anuais e perenes

Os arbustos baixos são classificados em anuais e perenes. Os primeiros vivem por poucos meses, o que demanda replante constante e, portanto, maior manutenção, mas apresentam, em geral, floração de magnífico colorido. Os demais não desaparecem após a florada e seu replante se faz, geralmente, após um período maior de dois anos.

Os arbustos perenes são atualmente preferidos em jardins residenciais. Embora tenham floração menos intensa, exigem baixa manutenção com podas e replantes e, consequentemente, custos menores ao longo do tempo. Pode-se dizer que são compatíveis com jardins onde haverá falta de tempo para cuidados, mantidos por jardineiros pouco especializados e dinheiro curto.

Os arbustos anuais estão sendo usados largamente em áreas comerciais e eventos promocionais nos grandes centros urbanos. Em estandes de vendas, restaurantes e shopping centers, comparecem em vasos unitários ou formando conjuntos com vários deles, o que chama a atenção pelo impacto visual. Apesar do alto custo para troca constante desses vasos, o efeito é compensador e a reposição não oferece problemas, considerando que o mercado produtor já está preparado para o fornecimento regular desses produtos.

As plantas anuais também têm sido usadas para enfeitar os espaços públicos em muitas cidades brasileiras. São plantadas em canteiros ou dispostas em cachepôs em áreas centrais e de grande movimento. Esse trabalho vem sendo realizado com fins sociais, ao dar emprego a pessoas carentes e garotos de rua, como ocorreu em Brasília e Curitiba nas décadas de 1980 e 1990.

Forrações

Elas podem ser agrupadas em dois conjuntos básicos: de solo e trepadeiras. As primeiras são aquelas que, como diz o nome, revestem o chão. As segundas são indicadas para preencher superfícies verticais, inclinadas ou elevadas.

FIGURA 62
Forrações: são aquelas que preenchem superfícies horizontais, inclinadas ou verticais.

As forrações de solos podem ser subdivididas em dois grupos: as que suportam relativamente pisoteio e as que não suportam. As gramas são exemplos das primeiras, as plantas rasteiras são exemplos das segundas.

Gramas

Necessitam de insolação praticamente direta para sobreviver e exigem manutenção de poda relativamente constante. Os gramados se prestam a múltiplas utilizações, geralmente relacionadas a atividades físicas, como correr, jogar, andar, deitar ou sentar. Mas é necessária certa precaução: não há gramas que resistam ao pisoteio localizado e cons-

"Há um elenco de plantas rasteiras que não servem para ser pisadas, mas que possibilitam efeitos surpreendentes sobre o solo, pois oferecem flores e folhas coloridas que podem formar relvados e tapetes com texturas e cores maravilhosas."

tante. Se as áreas estarão submetidas ao grande fluxo de pessoas, é melhor não usar gramas, optando por outro tipo de material.

Existem vários tipos de gramas para pisar, cada qual com características e indicações próprias. As mais usadas atualmente são a esmeralda (*Zoysia japonica*), a são-carlos (*Axonopus compressus*), a batatais (*Paspalum notatum*) e a santo-agostinho (*Stenotaphrum secundatum*). A esmeralda é fina e macia. A são-carlos resiste ao leve sombreamento. A santo-agostinho é boa para as áreas próximas ao mar. A batatais é bem rústica e provoca coceira, por isso está em desuso nos jardins residenciais mais sofisticados.

Todas são **fornecidas em placas**, que apresentam duas vantagens principais: ajudam a preencher grandes áreas em pouco tempo (fixando taludes, por exemplo) e vicejam facilmente. Se for o caso de reduzir custos, as placas podem ser desmembradas em pedaços menores ou plugues para plantio espaçado. Mas o custo com mão de obra será maior e os gramados demorarão mais tempo para formar.

Plantas rasteiras

Além das gramas, há um elenco de plantas rasteiras que não servem para ser pisadas, mas que possibilitam efeitos surpreendentes sobre o solo, pois oferecem flores e folhas coloridas que podem formar relvados e tapetes com texturas e cores maravilhosas.

Nesse caso, é aconselhável a **previsão de contenções**, ou seja, muretas de concreto embutidas na terra ou artefatos plásticos especialmente fabricados para esse fim, de modo a controlar o crescimento das raízes e limitar a propagação das plantas. Caso contrário, o desenho dos canteiros tenderá a se perder com o tempo, pois não haverá elementos de referência para os jardineiros obedecerem durante a manutenção.

Se o projeto demandar **mais cor**, é bom lembrar que as florações, embora maravilhosas, nem sempre estão presentes o ano todo; já as folhagens coloridas costumam ter vida mais longa nas estações.

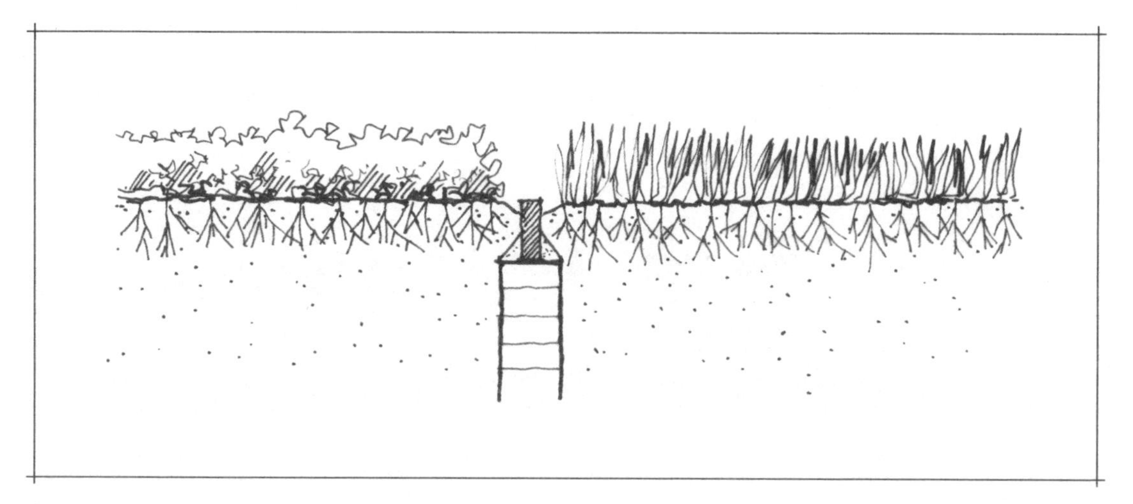

FIGURA 63
Contenções: muretas embutidas de concreto para evitar o avanço das forrações.

Por falar em cor, vale a pena citar algumas **florações** significativas de espécies rasteiras: as flores amarelas da vedelia (*Sphagneticola trilobata*), do amendoim-rasteiro (*Arachis repens*); as flores em tons de vermelho da maria-sem-vergonha (*Impatiens walleriana*), do rabo-de-gato (*Acalypha reptans*); as flores em várias cores da assistasia (*Asystasia gangetica*), da onze-horas (*Portulaca oleracea*).

As espécies mais usadas que apresentam diferentes **cores de folhas**, incluindo verdes e texturas variadas, são: grama preta (*Ophiopogon japonicus*) e minigrama preta (*Ophiopogon japonicus* variedade anã), com seu verde-escuro; clorofito (*Chlorophytum comosum*), com seu claro verde-esbranquiçado; trapoerabas, com diferentes cores; *Tradescantia zebrina*, com vermelhos; *Tradescantia pallida*, cor de vinho; *Tradescantia fluminensis*, verde e branco.

Em geral, essas forrações suportam graus diferentes de luz direta do sol ou de sombra, portanto, vão bem em áreas sob arbustos e árvores, onde as gramas não sobrevivem. Algumas espécies aumentam consideravelmente com o tempo, chegando a atingir um volume semelhante ao dos arbustos baixos, caso não sejam mantidas com podas.

FIGURA 64
Plantio provisório: as forrações podem ser usadas temporariamente enquanto outras plantas maiores estão em crescimento.

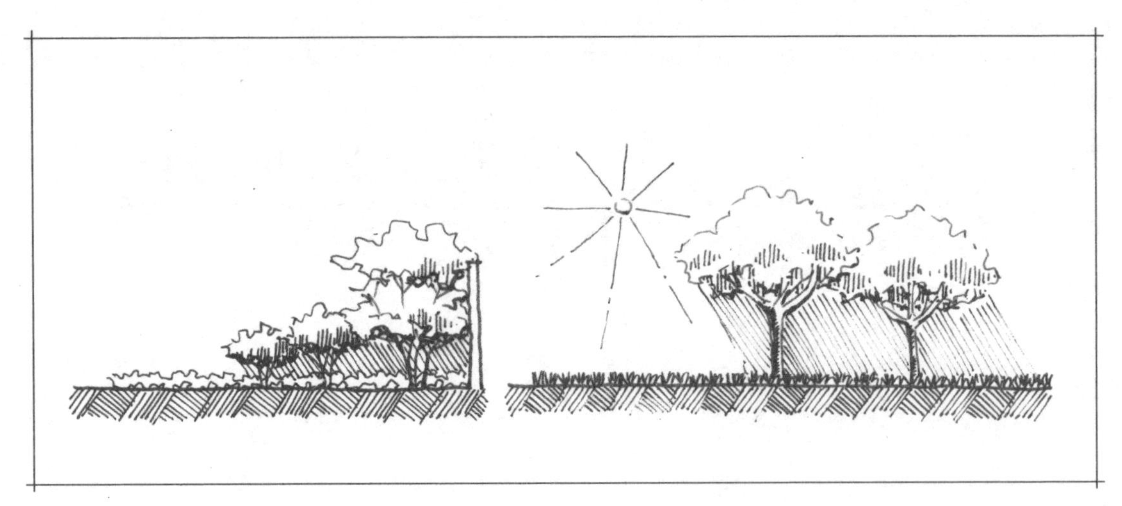

FIGURA 65
Forrações que pendem.

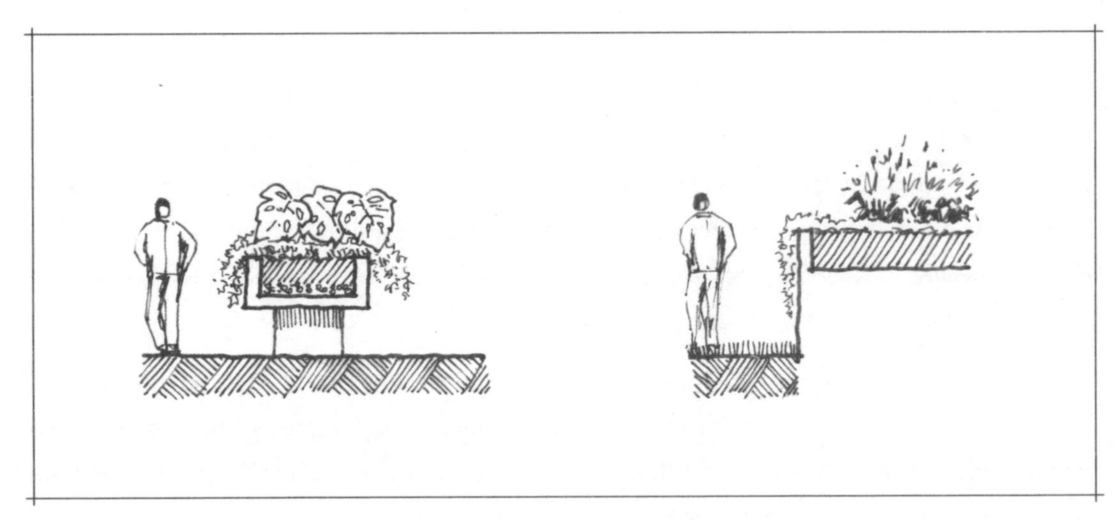

Frequentemente as forrações são usadas em meio a mudas de arbustos para cobrir o solo, com previsão de desaparecimento quando a planta maior se desenvolver. São plantadas relativamente próximas, entre 10 cm e 15 cm entre si.

Há **forrações escandentes**, isto é, com caules que pendem, que podem ser utilizadas em canteiros elevados ou floreiras, de modo que seus ramos cubram as superfícies verticais. É o caso do amendoim rasteiro (*Arachis repens*), da vedelia (*Sphagneticola trilobata*), da onze-horas (*Portulaca oleracea*).

Nesse grupo, incluem-se também aquelas que tanto cobrem o chão como trepam nas paredes. Por exemplo: espécies de hera (*Hedera helix*, *Hedera canariensis*, *Hedera vaiegata*), singonio (*Syngonium angustatum*) e jiboia (*Epipremnum pinnatum*).

As forrações anuais necessitam de **replantes**; as perenes não necessitam de novo plantio, mas algumas espécies exigem **podas** para permanecer rentes ao solo, com bom aspecto e intensa floração.

Trepadeiras

São aquelas espécies que podem forrar praticamente qualquer **superfície vertical ou inclinada**, apresentando-se em duas categorias:

- as que se agarram sozinhas às superfícies rugosas;
- as que necessitam de suportes especiais de apoio, como telas, treliças, pérgolas ou fios para sua fixação.

As trepadeiras que se agarram sozinhas são menos exigentes, dispensando cuidados de manutenção com direcionamento constante. Podem cobrir elementos construídos, como muros, muretas, paredes, etc., desde que não estejam pintados com cal virgem, que agride as gavinhas e os elementos de fixação das plantas. Nesse segmento não existem muitas espécies e praticamente nenhuma delas apresenta floração significativa. Elas estão divididas em trepadeiras de folhas caducas e perenes.

Entre as de **folhas caducas**, destacam-se a hera-de-inverno (*Partenocissus tricuspidata*), que cobre praticamente qualquer superfície, seja ela vertical, inclinada e até mesmo a parte inferior do teto. No inverno suas folhas caem, permitindo a insolação

"As trepadeiras que se agarram sozinhas são menos exigentes, dispensando cuidados de manutenção com direcionamento constante. Podem cobrir elementos construídos, como muros, muretas, paredes, etc., desde que não estejam pintados com cal virgem, que agride as gavinhas e os elementos de fixação das plantas."

FIGURA 66
Trepadeiras: necessitam de superfícies de apoio para se desenvolver.

direta da superfície em que se encontra, o que elimina os insetos (e seus ninhos) e possibilita o aquecimento do cômodo que ela esteja recobrindo. Num curto período de dias, despe-se de todas as folhas, que vão se avolumando no chão. Isso pode ter seu lado romântico ou irritante, dependendo do usuário. Nessa época, fica evidente o desenho da ramagem sobre as paredes, expondo belas tramas marrom-avermelhadas.

As trepadeiras de folhas perenes apresentam praticamente o mesmo aspecto ao longo do ano. Entre as que se agarram sozinhas, figuram: *Ficus pumila*, *Hedera helix*, *Hedera canariensis*, *Epipremnum pinnatum*, *Philodendrom hederaceum*, *Raphidophora decursiva* e *Monstera deliciosa*. Apesar da folha miúda, o *Ficus pumila* forra densamente grandes superfícies. Já a *Raphidophora decursiva* e a *Monstera deliciosa* têm a vantagem de ostentar grandes folhas.

Na categoria das que necessitam de apoio especial, encontra-se a maioria das trepadeiras, muitas delas com floração muito vistosa. Dependendo do tipo de suporte e da orientação, elas podem se desenvolver sem preencher totalmente a superfície.

Por exemplo, no Palácio da Justiça, em Brasília, Burle Marx utilizou uma estrutura metálica especialmente desenhada para apoiar e moldar a *Congea tomentosa*, trepadeira que se desenvolve em locais de clima quente e floresce espetacularmente em rosa-pálido.

As trepadeiras caducas são as que florescem mais exuberantemente no inverno ou início da primavera. Exemplo muito conhecido é a primavera (*Bougainvillea spectabilis*). Outras espécies apresentam cachos de flores pendentes que ficam lindamente realçados em pergolados, desde que haja contraste com o fundo, como o sapatinho-de-judeu (*Thunbergia mysorensis*), o jade (*Strongylodon macrobotrys*), etc.

Há ainda trepadeiras que, quando não encontram apoio adequado, crescem sobre si mesmas, formando grandes emaranhados que, no porte, lembram arbustos: primavera (*Bougainvillea spectabilis*), alamanda (*Allamanda cathartica*), costela-de-adão (*Monstera deliciosa*).

FIGURA 67
No Palácio da Justiça, em Brasília, Burle Marx desenhou estrutura metálica para sustentar a congeia.

Regras e cuidados

O comportamento da natureza impõe regras básicas que não há como desconsiderar. Plantas de climas frios se adaptam relativamente bem aos climas quentes, mas a recíproca não acontece. Plantas de solos pobres, como restingas e cactáceas, vão bem em solos ricos, mas a recíproca também não é possível.

Quanto menor o estrato, maiores cuidados exigirá ao longo do tempo e maior presença terá desde o momento em que é plantado. Assim, um gramado forma mais rápido que uma árvore e exige bem mais cuidados em termos de cortes periódicos e água ao longo do tempo. Ao passo que as árvores na fase inicial, mesmo com um bom porte (de 3 m a 4 m), geralmente são finas e ficam invisíveis no jardim.

A maioria das plantas quando dispõe de pouca terra, como em vasos, floreiras e jardins sobre lajes, necessita de regas mais frequentes. Nessa condição, não há como contar com reservas mais profundas de umidade e o solo resseca com facilidade pela ação do sol e dos ventos. Esse problema pode ser sanado com irrigação automática, hoje muito comum e razoavelmente barata.

Refinando soluções

5

Na medida em que se avança na elaboração do plano de massas vegetais, há outros componentes plásticos que devem ser considerados, além da volumetria. As plantas oferecem inúmeras possibilidades compositivas em suas flores, folhas e raízes, e seus frutos, galhos e caules, seja pelas cores, texturas e formas, seja pelos sabores, aromas, sons e movimentos que valorizam as paisagens que estão sendo projetadas.

Florações e cores

Flores em maciços estão entre os recursos mais interessantes para compor os jardins. Em geral, apresentam melhor visibilidade e resultado a distância. Mas toda regra tem

FIGURA 68
Florações: são os elementos mais notáveis em algumas espécies.

"Para um observador relativamente afastado, a cor é o elemento mais notável da floração."

sua exceção. Há flores que, pela delicadeza e beleza do detalhe, devem ser apreciadas de perto.

Para um observador relativamente afastado, a cor é o elemento mais notável da floração. Não importa se as flores são miúdas, graúdas, em cachos ou isoladas, mas a extensão e o impacto visual da massa colorida que elas formam. Esse efeito pode cativar tanto um caminhante como um motorista de automóvel em alta velocidade.

A floração colorida pode ser um importante referencial do jardim em determinada época do ano. Por exemplo, o intenso amarelo de um ipê florido torna-se, por um período, o ponto focal de uma paisagem onde predominam tons de verde. Por isso, é interessante considerar que o projeto de paisagismo possa dispor de diferenciados atrativos florais em momentos diferentes.

"A permanência ou periodicidade das flores é algo que também deve ser levado em conta. Há florações mais ou menos duráveis, conforme a espécie."

Árvores floridas

Frequentemente a floração de árvores aparece de forma mais expressiva nas espécies caducas, ou seja, naquelas que perdem as folhas entre o outono e o inverno. É o caso dos ipês (*Tabebuia sp.*), da paineira (*Chorisia speciosa*), do jacarandá (*Jacaranda mimosifolia*), da chuva-de-ouro (*Cassia fistula*). Mas há exemplos também em que a floração fica bem evidente revestindo a folhagem, despontando nos extremos dos ramos e sobre toda a copa. É possível notar essa ocorrência nas quaresmeiras (*Tibouchina granulosa*), nos manacás-da-serra (*Tibouchina mutabilis*), nas canafístulas (*Peltophorum dubium*), etc.

Em algumas espécies do estrato arbóreo, as flores despontam na parte superior da copa, o que dificulta sua visualização para quem está próximo ao caule. No entanto, o efeito é magnífico para olhar de cima, quando se está em sacadas de prédios residenciais ou em locais com acentuado desnível topográfico. Entre essas espécies, destacam-se: a sibipiruna (*Caesalpinia peltophoroides*), o pau-ferro (*Caesalpinia leiostaclya*), o guapuruvu (*Schizolobium parahyba*), etc.

A permanência ou periodicidade das flores é algo que também deve ser levado em conta. Há florações mais ou menos duráveis, conforme a espécie. Os ipês, por exemplo, florescem de forma espetacular num curto período de dias do inverno. As quaresmeiras, depois do auge da floração na época da Quaresma, voltam a florescer no final do inverno, de forma menos intensa. Há também efeitos de fotodecomposição por envelhecimento. No manacá-da-serra (*Tibouchina mutabilis*), as flores nascem brancas e vão se tornando lilases na ação do envelhecimento, sugerindo um processo multicolorido de floração.

FIGURA 69
Efeito de cima: há efeitos de florações que são visualizados somente do alto.

Durante o período de floração, existe uma constante renovação das flores, que desabrocham, morrem e caem, formando **lindos tapetes** coloridos sob as copas. Isso pode ser aproveitado intencionalmente nos projetos de qualquer porte, residenciais ou públicos. Observe que ruas arborizadas com a mesma espécie podem oferecer grande surpresa quando as pétalas coloridas repousam sobre o asfalto e as calçadas.

Teorias cromáticas

Há autores que sugerem a aplicação de teorias das cores na composição do jardim, mas particularmente não acredito que seja muito fácil a transposição do projeto, ou seja, do desenho pintado à realidade. As coisas não são lá muito simples. Considere a seguinte situação: é difícil controlar o efeito causado pela sobreposição do amarelo das flores da sibipiruna (*Caesalpinia peltophoroides*) ao azul da floração do jacarandá (*Jacaranda mimosifolia*), entre outras variáveis de cor verde, do azul do céu, de luz e sombra que influenciam a percepção cromática. Enfim, há uma gama de relações de cores e tonalidades muito mais complexas do que aquelas estáticas empregadas em desenho.

Enquanto nas florações das árvores predominam as cores rosa e amarelo, nos arbustos a variedade cromática é bem maior, com a presença de branco, amarelo, laranja, rosa, vermelho, tijolo, roxo, praticamente inexistindo dominância de determinados matizes sobre outros.

Entre os arbustos baixos existe uma grande quantidade de plantas anuais que florescem abundantemente com colorido intenso, embora exijam manutenção constante. Dentre as que não necessitam de replante permanente, estão o lírio amarelo ou laranja (*Hemerocallis flava* ou *fulva*) e o agapanto azul ou branco (*Agapanthus africanus*). Mas nem todas as flores oferecem vantagens apenas por seu apelo visual; há florações pouco visíveis que têm sua importância: atraem insetos e beija-flores que alegram a paisagem.

Folhas coloridas

Quando se fala em cor, logo vêm à mente as flores, mas o repertório cromático da vegetação é bem mais amplo que o representado por elas. A coloração das folhas e folhagens oferece diversos recursos ao projeto, proporcionando até mesmo maior durabilidade no correr das estações do ano.

FIGURA 70
Tapetes coloridos: quando em quantidade, as flores de arbustos baixos formam vibrantes superfícies.

Em geral, as espécies do estrato arbóreo não possuem folhagem de cores e nuanças tão vibrantes como as das florações. Contudo, possuem uma gama imensa de verdes com potencial enorme na composição cromática da paisagem. Há exceções, como as folhas na cor vinho, da *Euphorbia cotinifolia*, e as acinzentadas, do *Eucalipthus cinerea*, para citar algumas.

Nas folhas, a **percepção da cor** depende de um elenco de fatores: o tamanho das superfícies, a textura, a pilosidade, que permite produzir brilho ou não, a capacidade de refletir mais ou menos a luz, de ser mais ou menos translúcida. Variando apenas um desses elementos, tudo se altera. Observe, por exemplo, como o verde de duas espécies de embaúbas muda em decorrência apenas da troca de textura.

Contrastes harmônicos

Há diversos modos de se aplicar o conhecimento das cores na composição dos jardins. Um dos que proporciona bons resultados é usar contrastes harmônicos entre cores variadas e texturas parecidas, ou entre cores parecidas e texturas variadas, ou ambos. Mas não se deve esquecer que o volume e a característica das folhagens, ralas ou densas, também alteram a tonalidade da cor e a textura. Portanto, **cor, textura e densidade** da folhagem sempre estão relacionadas entre si.

FIGURA 71
Regra dos contrastes: use cores variadas e folhas de texturas parecidas ou vice-versa.

FIGURA 72
Regra dos contrastes: use verdes próximos e folhas de texturas diferentes.

Na primavera, comumente, tem início a nova brotação, quando a tonalidade das folhas, em geral, é verde-clara e translúcida. O espaço sob a copa recebe mais luz filtrada pelas folhas novas, revelando-se numa atmosfera de frescor e magia. É possível tirar mais proveito desse recurso quando há conjuntos maiores de copas e controla-se a entrada de luz pelas laterais do bosque. Por outro lado, é bom lembrar que não existem somente brotações em verde-claro. Há exemplos, como das jabuticabeiras (*Myrciaria*

cauliflora) e das sapucaias (*Lecythis pisonis*), que caracterizam certas paisagens do Rio de Janeiro, cuja renovação se faz com folhinhas róseo-avermelhadas.

Entre a primavera e o verão, as folhagens atingem sua maturação e conservam a cor. Mas quando chega o outono, as folhagens de algumas espécies se tornam castanhas antes de cair. E chegam mesmo a ficar vermelhas ou amareladas por poucos dias antes de secarem completamente e se soltarem, como é o caso dos plátanos (*Platanus acerifolia*), dos liquidâmbars (*Liquidambar formosana*) e do chapéu-de-sol (*Terminalia catappa*).

Arbustos e forrações

Em termos comparativos, o estrato arbustivo apresenta maior gama de cores de folhagens do que o estrato arbóreo. Além das muitas tonalidades de verdes, vermelhos, cinzas e amarelos, é grande a quantidade de espécies que apresentam várias cores numa mesma folha. Esses tons aparecem distribuídos em manchas disformes e variáveis em cada folha ou apresentam padrões regulares de desenho em todas as folhas.

"O estrato arbustivo apresenta maior gama de cores de folhagens do que o estrato arbóreo. Além das muitas tonalidades de verdes, vermelhos, cinzas e amarelos, é grande a quantidade de espécies que apresentam várias cores numa mesma folha."

Quando não recebem insolação ou luminosidade suficientes, alguns arbustos perdem a cor das folhagens, que chegam a esverdear-se. Porém, é bom lembrar que existe também a situação contrária: há espécies que para manter a cor da folhagem devem ficar em ambientes sombreados, como os filodendros cor de vinho.

No estrato de forrações, também é grande a variedade de cores de folhas, principalmente naquelas não passíveis de pisoteio. Os vermelhos aparecem na *Tradescantia pallida var. pupurea*, iresine (*Iresine herbstii*), etc.; os cinzas, na *Festuca glauca*, etc.; os amarelos, no pingo-de-ouro (*Duranta repens*), que invadiu os jardins brasileiros, no periquito (*Alternanthera ficoidea*), etc.; sem falar nos verdes diversos e nas combinações com manchas multicoloridas.

No caso das gramas pisoteáveis, existem espécies com várias nuanças de verde, do mais escuro ao esbranquiçado. Exemplo famoso do emprego delas foi o realizado por Roberto Burle Marx, no tapete de ondas do Museu de Arte Moderna do Rio de Janeiro,

FIGURAS 73A, 73B, 73C E 73D
Folhas coloridas: *Setcresia purpura*, iresine, *Festuca glauca*, *Tradescantia pallida*.

que usou grama-inglesa clara e escura (*Stenotaphrum variegatum* e *Stenotaphrum secundatum*).

Frutos na paisagem

A frutificação é uma tentação ao paladar nos jardins, mas geralmente não contribui com efeitos visuais significativos, principalmente para um observador menos atento ou situado a distância. A presença dos frutos é importante para **atrair insetos** e **pássaros.**

Em muitas árvores, os frutos apresentam cores discretas, que se confundem com as dos galhos ou das folhas, como as vagens secas de várias leguminosas (ipês, cássias, jacarandás, etc.). Em outros casos, mesmo que a frutificação seja intensa e de cores vibrantes, fica escondida em meio à folhagem. Mas, como tudo mais na natureza, há

FIGURA 74
Efeito dos frutos: exemplo da paineira.

"Boa parte do desenho das copas das árvores advém dos galhos. Esse desenho é mais expressivo nas espécies de folhas caducas, nas quais as tramas dos ramos se tornam elementos protagonistas."

exceções: as paineiras (*Chorisia speciosa*) e bombacáceas produzem frutos em forma de bolas pendentes, bem visíveis quando a planta está com os galhos nus; quando rompem, surgem painas brancas, que voam e espalham as sementes.

No segmento dos arbustos com frutificações exuberantes mas não comestíveis temos a *Piracanta coccinea*, cuja copa fica recoberta de bolinhas vermelho-alaranjadas, bem mais notáveis que sua floração.

Educando as crianças

Hoje, as espécies com frutas comestíveis vêm sendo muito utilizadas nos jardins residenciais e condominiais, até mesmo naqueles sobre laje. É uma forma de educar as crianças, fazendo-as perceber que os frutos não surgem empacotados para serem vendidos diretamente no mercado, como algumas delas acreditam. Nesse processo, as crianças podem vivenciar todo o ciclo de surgimento e maturação dos frutos: da polinização da flor pelo inseto ao crescimento das polpas e produção de sementes que vão gerar novas plantas. Mesmo em situações que não haja muito espaço, é possível recorrer a espécies de pequeno porte, como romãzeiras (*Punica granatum*), laranjeiras (*Citrus sp.*), pitangueiras (*Eugenia uniflora*), goiabeiras (*Psidium guajava*) e jabuticabeiras (*Myrciaria cauliflora*).

Galhos e caules

Boa parte do desenho das copas das árvores advém dos galhos. Esse desenho é mais expressivo nas espécies de folhas caducas, nas quais as tramas dos ramos se tornam elementos protagonistas, deixando entrever um aqui e um ali. Disposta de modo isolado, uma árvore sem folhas, no outono e inverno, pode ser um belo ponto focal no jardim, sugerindo a dramaticidade de uma escultura viva mas adormecida.

FIGURAS 75A, 75B E 75C
Expressividade: galhos e tronco da paineira.

Tão expressivos como os galhos, são os caules de várias espécies do estrato arbóreo. Eles podem apresentar texturas interessantes e tonalidades variadas, que chamam a atenção quando vistos a certa distância. Podem variar na rugosidade ou serem lisos, espinhosos e mesmo reluzentes.

A maioria dos galhos e caules sofre alteração de cor com o tempo. Quando jovens, tendem ao verde, quando adultos, oscilam em tons de marrom, dos mais claros aos mais escuros. No entanto, há casos excepcionais e notáveis com cores esbranquiçadas, avermelhadas, manchadas e esverdeadas – esta última muito frequente nos arbustos.

Essas metamorfoses encantavam Burle Marx, que em várias ocasiões se serviu delas não apenas em seus projetos de paisagismo, mas também em suas obras plásticas. Vale recordar a série de desenhos que realizou inspirada nos galhos movimentados e marmorizados do tataré (*Pithecolobium tortum*).

FIGURA 76
Pithecolobium tortum, desenho de Roberto Burle Marx, nanquim sobre papel, 1964. Coleção Burle Marx & Cia. Foto de Haruyoshi Ono.

Mais exemplos

Ampliando a gama de exemplos, é interessante comentar sobre o caule da paineira (*Chorisia speciosa*): quando jovem, é verde e espinhoso; na fase adulta, marrom e praticamente liso. Já o caule do pau-mulato (*Calycophyllum spruceanum*) se transforma de um verde intenso ao bronze, descascando a seguir para se tornar verde novamente. Por sua vez, a *Acacia seyal* encanta pela cor ferruginosa de seus galhos e caule, que saltam à vista contra o verde-claro de suas folhas.

Nas espécies com múltiplos caules, há bambus cromaticamente bem interessantes, como o bambu brasileirinho (*Phyllostachis sp.*), que possui listras verdes e amarelas, com formas variadas. Mas em termos de plasticidade poucas plantas concorrem tão de perto com a figueira-mata-pau. Seu caule se confunde com as raízes da própria planta, que nasce no topo de uma árvore ou de palmeiras, onde há luz e acúmulo de húmus.

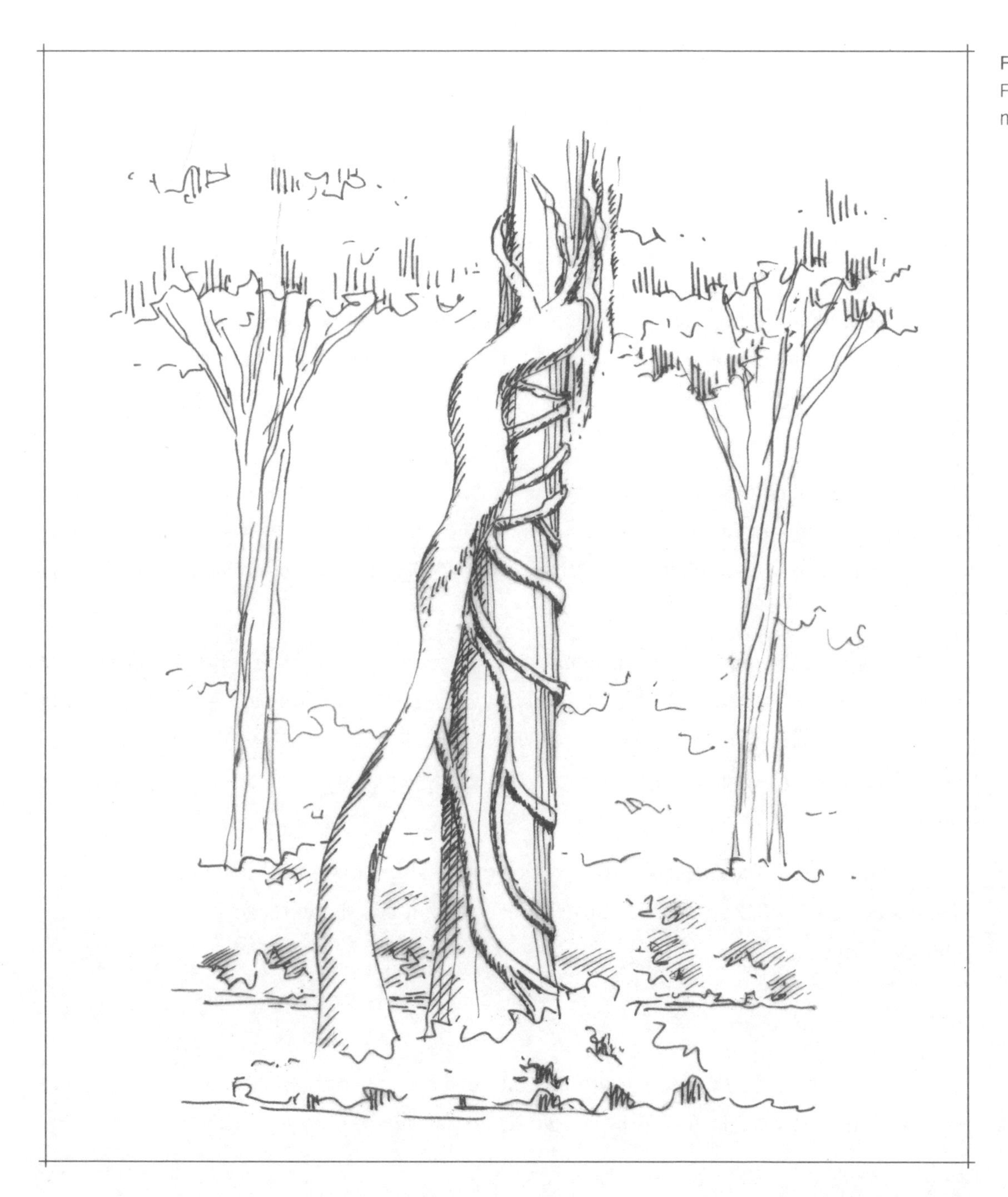

FIGURA 77
Formas escultóricas: mata-pau.

"Aromas podem ser deliciosos e muito bem-vindos, desde que se tomem algumas precauções. É preciso checar se as pessoas que frequentarão o jardim são alérgicas."

Para crescer, a mata-pau lança suas raízes sobre a planta-suporte até alcançar o solo e, ao longo do tempo, encorpa e acaba matando sua hospedeira, que aos poucos apodrece e desaparece, deixando ver emaranhados e vazios com incríveis formas.

Esse fenômeno de adaptação e competição é característico de várias espécies do gênero *Ficus*, quando as sementes não germinam diretamente sobre o solo. Mas o efeito escultórico que proporciona é difícil de ser fixado em projeto, em razão da própria imprevisibilidade do processo de nascimento e crescimento da planta. Não basta colocar sementes da figueira sobre outras árvores para que vinguem automaticamente.

Raízes

Em termos plásticos, as raízes também podem ser utilizadas nos projetos, embora o resultado seja incontrolável. Há espécies que lançam raízes serpenteantes superficiais de grande beleza, mas esse efeito só se consegue a longo prazo, quando a planta se torna adulta.

A *Ryzophora mangue* é muito lembrada por seu conjunto escultural de raízes, que parecem varetas invertidas de guarda-chuva e garantem a adaptação e sobrevivência da espécie em solos encharcados. Porém, a fruição visual de seus belos emaranhados exige aproximação do observador, nem sempre facilitada pela natureza pantanosa de seu ambiente.

Evocando certo parentesco formal com as raízes dos mangues, há figueiras que desenvolvem conjuntos aéreos de raízes que auxiliam na sustentação da copa e geram efeitos curiosos.

Nuvens de perfume

Quase todas as flores exalam aromas muito discretos, que apenas são sentidos bem de perto. Mas isso conta pouco nos projetos de paisagismo, pois o interessante é traba-

FIGURA 78
Formas escultóricas:
Ryzophora mangue.

lhar com florações que exalam nuvens de perfume, especialmente à noite ou em momentos de temperaturas mais amenas.

Esses aromas podem ser deliciosos e muito bem-vindos, desde que se tomem algumas precauções. É preciso checar se as pessoas que frequentarão o jardim são alérgicas ou se haverá inconvenientes em colocar as plantas perto de locais de permanência prolongada, como dormitórios e salas de estar. Caso contrário, haverá incômodo. E o que seria estimulante tornar-se-á um problema.

Algumas das espécies mais conhecidas por suas flores perfumadas são a dama-da--noite (*Cestrum nocturnum*), a gardênia (*Gardenia jasmionides*) e vários tipos de jasmins. Mas há também certas folhagens que exalam aromas agradáveis e menos intensos, como algumas espécies de pinheiros e eucaliptos (*Eucalipthus citriodora* e *E. cinerea*).

Papel do vento

O efeito do vento na propagação de aromas também é importante. Além disso agita copas e galhos, causando surpresa e interesse ao observador. Quem é que nunca parou para ver o balançar dos galhos moles do chorão (*Salix babylonica* e *Schinus molle*) pelo vento? Ou ainda o trepidar de ciprestes e pinheiros, agitados pelas correntes de ar?

Em jardins articulados a salas e ambientes internos, o balançar dos arbustos pode ser um dado compositivo importante. O movimento dos galhos e da folhagem atrai a atenção do observador, realçando ainda mais a presença da vegetação no cenário. Além

FIGURA 79
Som do vento: o sussurrar dos bambus.

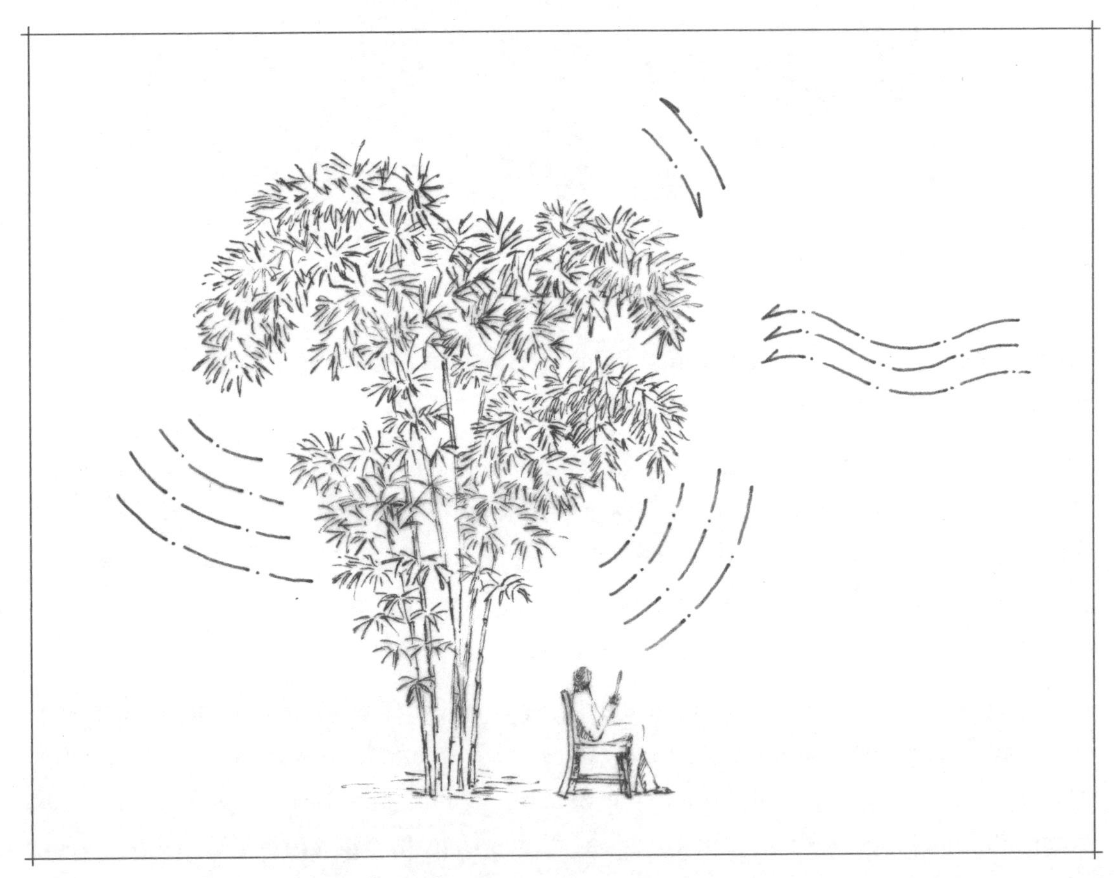

desses recursos, o vento sobre árvores e arbustos provoca sons curiosos, como o sussurrar dos bambus.

Espécies definitivas

Dadas as características gerais de copa, folhagem, frutificação, floração, caule e raízes dos vários tipos de plantas que se pretende empregar no detalhamento do plano de massas, é possível definir a seleção final das espécies.

Nessa etapa, é aconselhável consultar bibliografia técnica e especialistas, como agrônomos e botânicos, sobretudo se o projeto em questão for de grande escala. Nem sempre serão encontradas espécies que satisfaçam todas as características estipuladas pelo projetista, porém, quase sempre existirão aquelas que atendem aos aspectos fundamentais desejados.

"Nem sempre serão encontradas espécies que satisfaçam todas as características estipuladas pelo projetista, porém, quase sempre existirão aquelas que atendem aos aspectos fundamentais desejados."

Por exemplo, numa proposta de arborização pública, deseja-se espécie com flores rosa, folhas caducas, porte aproximado de 10 m e caule liso malhado. Com uma pesquisa, logo se conclui que essa árvore não existe, mas há duas alternativas que podem atender: o ipê-rosa apresenta todas as características, menos o caule liso e malhado; já o pau-ferro possui caule liso e malhado e nenhuma das outras particularidades desejadas. Certamente a escolha vai recair sobre o ipê-rosa.

Portanto, sempre cabe ao autor decidir quais elementos são mais importantes para o projeto como um todo e optar pelas espécies mais adequadas.

Normalmente essa seleção é feita com base em um repertório limitado, até porque deve estar relacionada à região onde se vai localizar o projeto e as espécies disponíveis no mercado produtor de mudas. Por outro lado, as características dos componentes definidos no projeto podem estimular a pesquisa de novas plantas para emprego ornamental, como fez tantas vezes Roberto Burle Marx.

Mas esse caminho não é para qualquer momento e situação. É trabalho justificável quando se pretende um sofisticado arranjo de composição vegetal e há condições para se investir na busca de novas espécies, que o mercado ainda nem sonha em oferecer e multiplicar.

Materiais e técnicas

6

Após exposição do potencial de uso dos vários estratos vegetais, serão focalizados os materiais naturais e artificiais, os elementos e as técnicas construtivas que podem ser empregadas no projeto de paisagismo. Todos os recursos são bons, em essência não há alguns melhores e outros piores, mas tudo depende de como são empregados. É interessante também fazer combinações, associando materiais naturais a artificiais, contrabalançando o calor de uns com a frieza de outros. E é importante lembrar ainda que a escolha dos materiais não apenas ajuda a moldar a personalidade do projeto, mas com o tempo também define a linguagem do autor do trabalho.

"Desde a Antiguidade, o homem percebeu que as rochas eram materiais duráveis e atraentes para construir e revestir pisos, caminhos, ruas e calçadas."

Rochas

Desde a Antiguidade, o homem percebeu que as rochas eram materiais duráveis e atraentes para construir e revestir pisos, caminhos, ruas e calçadas. Historicamente, a disponibilidade de alguns tipos encontrados impulsionou o surgimento e o aprimoramento das técnicas de assentamento. Supõe-se que a primeira forma de utilização de pedras na criação de pisos em áreas externas tenha sido de maneira solta, sem areia, argamassa ou rejunte. Assim, encontram-se pisos de seixos e pedriscos em palácios da Europa e templos orientais. Nesses edifícios religiosos, os pedriscos foram usados em sofisticados jardins, dispostos em áreas penteadas periodicamente com rastelo, de modo a formar lindas composições em meio a matacões.

O segundo modo de uso foi fixar as pedras, provavelmente com a ajuda de terra ou areia, técnica até hoje muito empregada. Mas para isso havia a necessidade de que a pedra tivesse certa espessura. Assim surgiram os pés de moleque e matacões nas ruas das cidades coloniais brasileiras; as lajes nas antigas cidades europeias; os paralelepípedos de granito, basalto, quartzito; o mosaico português, em calcários de diversas cores, magistralmente utilizados por três mestres do paisagismo brasileiro: Roberto Burle Marx, Roberto Coelho Cardoso e Waldemar Cordeiro.

Com o desenvolvimento das argamassas, tornou-se possível a utilização de peças de menor espessura, em granito, mármore, ardósia, basalto e pedras sedimentares (mineira, são-tomé, goiás), multiplicando seu aproveitamento. Desenvolveu-se também a fabricação de placas e misturas com pedriscos, grãos de quartzo, mármores e granitos, surgindo, por exemplo, o fulget, largamente empregado nos pisos, degraus, bordas de piscina e revestimentos de muros e muretas nos jardins dos anos 1950.

Atualmente novas tecnologias permitem dispensar as argamassas, fazendo com que as placas de pedras especialmente preparadas repousem e se encaixem sobre bases suspensas de plástico ou metal, facilitando e acelerando sobremaneira a implantação e

FIGURA 80
Pedriscos utilizados no Jardim Ryugen-in, Japão, no século XVI.

FIGURA 81
Detalhes de piso elevado.

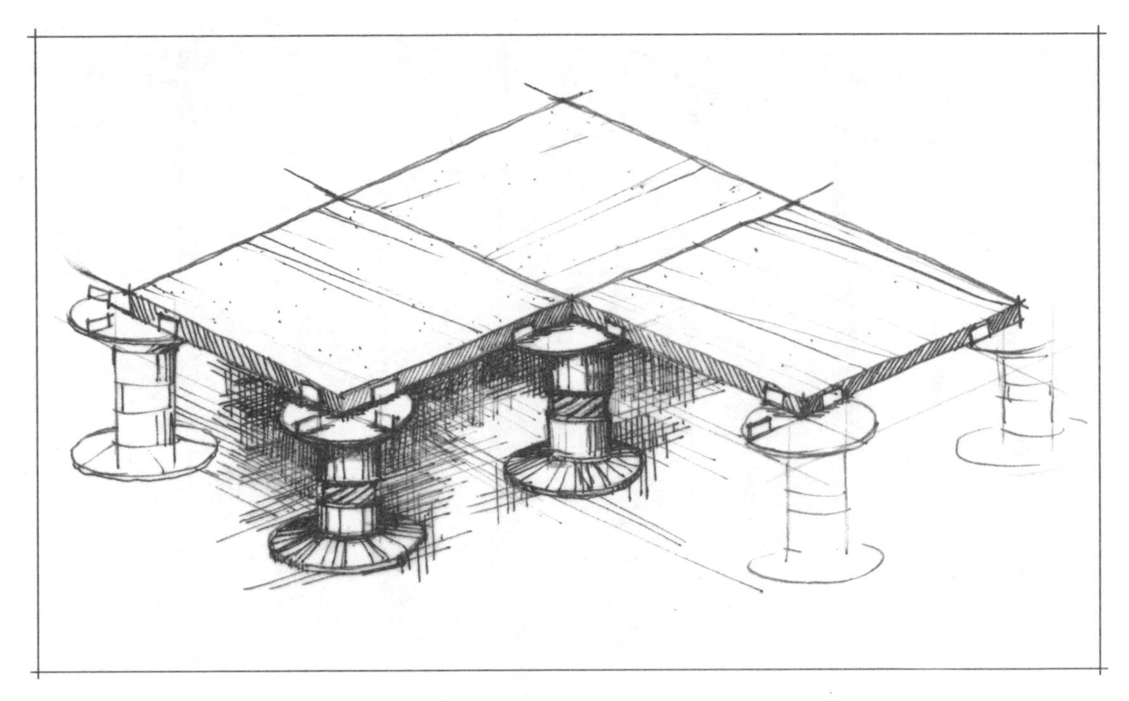

manutenção das obras. São os chamados **pisos elevados**, bastante indicados para jardins sobre lajes.

Tipos e variações

Existem diversas opções de rochas disponíveis no mercado para emprego paisagístico, como os **matacões**, que vêm em estado natural, apresentando formas mais ou menos arredondadas, com diâmetro maior que 50 cm. São ótimos para compor jardins de pedras, arrematar pontos focais e figurar como esculturas em espelhos d'água e piscinas. As peças maiores, com diâmetro superior a 3 m, demandam locomoção e posicionamento difícil e trabalhoso.

FIGURA 82
Matacões usados no Jardim Tohukuji Honbo, Japão.

Outro tipo de rocha é a bruta, com diâmetro de até 30 cm, ideal para erguer muros e muretas. Já os paralelepípedos retangulares (que medem cerca de 12 cm × 12 cm × 20 cm) e em cubos (com aproximadamente 12 cm × 12 cm × 12 cm) são feitos com granitos cinza e rosa, ou com basaltos branco e preto, cortados à mão e servem para calçamento, degraus, muros e muretas. Em pisos, são geralmente assentados sobre camada de areia, permitindo a passagem da água de chuva entre suas juntas, a combinação com gramas e a aeração das raízes de árvores. Em muros e muretas, podem ser assentados com argamassa comum, à vista ou com juntas secas.

Pedras como ardósia, quartzitos, mineira, goiás, basalto, mármores e granitos são fornecidas ao comércio em grandes placas e posteriormente recortadas para atender às mais diferentes encomendas de formatos e paginações. São ótimas para pisos assentados sobre lastro ou base de concreto, e o acabamento entre as peças é feito com rejuntes industrializados.

Os filetes são tiras que sobram do corte de certas pedras, prestando-se para revestimento conhecido como canjiquinha, usado em paredes, muros e muretas. Foram muito utilizados nos anos 1950 e voltaram novamente ao gosto do mercado em 2000.

As pedras portuguesas ou *petit-pavés* são pequenos cubos irregulares, com cerca de 6 cm × 6 cm × 6 cm. Os de calcário têm cores bege, branco, vermelho e preto; os de granito, cinza e rosa. Podem ser assentados sobre mistura de areia com cimento seco, base de terra compactada ou lastro de concreto e é o revestimento que se adapta melhor a desenhos elaborados e não ortogonais.

As folhetas são peças de pedra natural cortadas em pequenas placas de 11 cm × 22 cm, com espessura entre 1 cm e 3 cm. Também cortadas à mão, são normalmente de granito (em cinza) ou pedra-madeira (em bege), e sua fina espessura exige que sejam assentadas sobre base de concreto.

Com várias cores e texturas, britas, pedriscos, saibros e areias são bons materiais para preencher trilhas e áreas sem tráfego pesado, deixando percolar naturalmente a

FIGURA 83
Pedras portuguesas: calçadão da praia de Copacabana, Rio de Janeiro, com projeto de Roberto Burle Marx e equipe, 1970.

"O uso de pedras em jardins sobre lajes requer cuidadoso estudo prévio, para que se verifique se não haverá sobrecarga na estrutura da edificação e como se dará o transporte até o local onde serão usadas."

água. Também entram na composição de tapetes em áreas onde não se pode usar vegetação em decorrência do difícil acesso ou da necessidade de minimizar a manutenção.

O uso de pedras em jardins sobre lajes requer cuidadoso estudo prévio, para que se verifique se não haverá sobrecarga na estrutura da edificação e como se dará o transporte até o local onde serão usadas.

Madeiras e cascas

Na arquitetura paisagística, as madeiras comparecem em sua forma bruta ou aparelhada, compondo degraus, decks, bancos, muretas, pequenos arrimos, brinquedos, pérgolas, caramanchões, pórticos, portões, esculturas e arremates de pisos e canteiros. O mobiliário e os brinquedos de madeira não devem apresentar quinas pontiagudas nem parafusos salientes, passíveis de provocar cortes ou machucados nos usuários.

As **peças brutas** vêm no formato de toras roliças e mourões com ou sem casca, atendendo bem projetos paisagísticos de caráter rústico. As costaneiras são troncos serrados ao meio ou sobras de peças aparelhadas e possuem em geral secção quadrada ou retangular; as madeiras aparelhadas resultam do corte com serra ou do desbaste com machado ou enxó.

Pínus e eucalipto são algumas das **madeiras moles** provenientes de reflorestamento utilizadas nos projetos. Mas, para que fiquem resistentes ao apodrecimento e ao ataque de cupins, devem passar por autoclaves, um tratamento que retira os líquidos da madeira sob pressão e reinjeta em seu lugar produtos químicos. Esse cuidado é desnecessário em madeiras duras, como os ipês, as tatajubas, etc., contudo, elas estão cada vez mais raras e difíceis de se obter.

Cascas e lascas de madeira são recomendadas para forrações de vasos ou canteiros, principalmente os sombreados. Porém, é bom se certificar se elas receberam **tratamento químico** adequado. Caso contrário, poderão sofrer infestação de cupins. Em grandes

FIGURA 84
Brinquedo feito com troncos de madeira.

"O mobiliário e os brinquedos de madeira não devem apresentar quinas pontiagudas nem parafusos salientes, passíveis de provocar cortes ou machucados nos usuários."

bosques, folhas secas pelo chão podem proporcionar não apenas belos efeitos plásticos, mas também colaborar na manutenção da umidade para as árvores.

As cascas de coco vêm se mostrando um adequado substituto das placas e dos vasos feitos de tronco de xaxim, planta que está em processo de extinção. Por serem materiais reciclados e vendidos em placas, vasos, mantas e ainda de forma solta e desfiada, as cascas de coco são ótimas para preencher totens e painéis em que serão plantadas orquídeas, chifres-de-veado, bromélias, rípsales, etc. Podem também ser usadas em forrações de piso, da mesma maneira que as cascas de árvore.

Materiais artificiais

São todos aqueles manufaturados ou industrializados pelo homem, com base em cimento, barro, metais, plástico, resinas, etc. O cimento é matéria-prima usada na produção do concreto aparente, que chegou a ser expressão característica da melhor arquitetura brasileira dos anos 1970. Liso ou rugoso, pigmentado ou não, o concreto aparente caracteriza muros, muretas, bancos, pisos, degraus, rampas, etc.

FIGURA 85
Painel de concreto e pedra-sabão: praça Dalva Simão, Belo Horizonte, com projeto de Roberto Burle Marx e equipe, 1973.

Frequente nos Estados Unidos, o **concreto estampado**, obtido pela transferência para o concreto ainda fresco de desenhos e texturas feitos com fôrmas de borracha reutilizáveis, destina-se a pisos. Permite receber pigmento de diversas cores, e as fôrmas, antes de serem utilizadas, podem ser untadas com desmoldante colorido, que proporciona efeitos extras.

Cimentados

O cimentado é material de baixo custo, indicado para muros, muretas, degraus, bancos, pisos, etc. Em pisos, pode ser colorido e receber texturas variadas, feitas dos seguintes modos:

- com desempenadeira de madeira, que possibilita aspecto rústico, com marcas do movimento dessa ferramenta;
- com desempenadeira de aço e queimado, resultando em acabamento liso e escorregadio quando molhado;
- riscado com vassoura de metal, apresentando sulcos paralelos de excelentes resultados quando o processo é feito com guias e a vassoura puxada cuidadosamente num só sentido;
- penteado com brocha, que produz sulcos menos profundos, acabamento mais liso e mais fácil de fazer, se comparado ao modo anterior;
- com texturas de sal grosso, salpicando-se o sal homogeneamente ou criando desenhos que lembram veios e texturas de rochas, após desempenar e com o cimento na consistência plástica. O resultado é bonito e antiderrapante.

Em muros e muretas, é possível aplicar os seguintes procedimentos: faz-se um cimentado liso, com texturas rústicas ou frisos, dependendo do efeito desejado. Pode-se também providenciar um cimentado chapiscado, jogando-se a massa através de uma peneira posicionada alguns centímetros à frente da superfície. O chapisco pode ser fino

> "O cimentado é material de baixo custo, indicado para muros, muretas, degraus, bancos, pisos, etc. Em pisos, pode ser colorido e receber texturas variadas."

"Como no caso das pedras laminares, há placas de concreto ideais para piso elevado. São fabricadas com acabamentos diversos, como fulget, concreto texturizado e concreto estampado."

ou grosso, em função da trama da peneira, e também pode ser frisado, como no caso anterior.

Peças de concreto

Feito artesanalmente ou industrializado, o **ladrilho hidráulico** é encontrado em diversas texturas, cores e tamanhos. A versão artesanal é mais rica em desenhos coloridos e sua produção é feita do seguinte modo: a fôrma metálica é preenchida, primeiro, com pigmentos puros e secos e, depois, com cimento úmido. Em seguida, prensa-se e leva-se a peça para secar naturalmente à sombra.

O ladrilho hidráulico industrializado apresenta menos cores, mas diversos relevos antiderrapantes, ideais para pisos e rampas de veículos. Tanto essa versão como a artesanal têm de 1 cm a 2 cm de espessura e devem ser assentadas sobre base de concreto.

Mais espessa que o ladrilho hidráulico, a **lajota de concreto** pode ser feita no canteiro ou comprada pronta, em vários tamanhos, cores e formatos. Permite fixação em terra compactada e juntas de grama.

O **elemento intertravado** paver é um pequeno bloco de concreto, pigmentado ou não, indicado para pisos, degraus, bancos, muretas, muros e até para a composição de painéis. Apresentado nas versões de 4 cm, 6 cm, 8 cm e 10 cm de espessura, cada qual é adequado a um tipo de carga (pedestres, veículos leves, pesados, etc.). Dispensa contrapiso de concreto e seu assentamento é feito com areia sobre terra compactada.

Como no caso das pedras laminares, há placas de concreto ideais para piso elevado. São fabricadas com acabamentos diversos, como fulget, concreto texturizado e concreto estampado, e tamanhos de 50 cm × 50 cm, 70 cm × 70 cm e 80 cm × 80 cm.

Os blocos de concreto na cor natural ou pigmentados criam belos efeitos como elemento vazado na construção de muros e muretas. Podem também ser assentados em 45 graus, gerando movimentados jogos de luz e sombra.

FIGURA 86
Peças de concreto para pavimentação de ruas e caminhos de pedestres.

"Se ficarem em áreas sombreadas, os tijolos podem criar limo, tornando-se escorregadios. Para minimizar esse problema, é melhor que sejam tratados com hidrofugante e dispostos soltos sobre camada de areia, em cima de lastro de concreto."

Produtos de barro

Um dos mais versáteis materiais, o **tijolo** serve para fazer praticamente tudo no jardim: de pisos e degraus a muros, paredes vazadas e bancos. Mas para que seja durável ao longo do tempo, é necessário precaução: compre somente tijolos de boa qualidade, bem cozidos, que são mais resistentes e não desmancham facilmente com os anos. Se ficarem em áreas sombreadas, os tijolos podem criar limo, tornando-se escorregadios. Para minimizar esse problema, é melhor que sejam tratados com hidrofugante e dispostos soltos sobre camada de areia, em cima de lastro de concreto. O procedimento é simples:

FIGURAS 87A E 87B
Tijolos usados como pisos de tradicionais praças italianas.

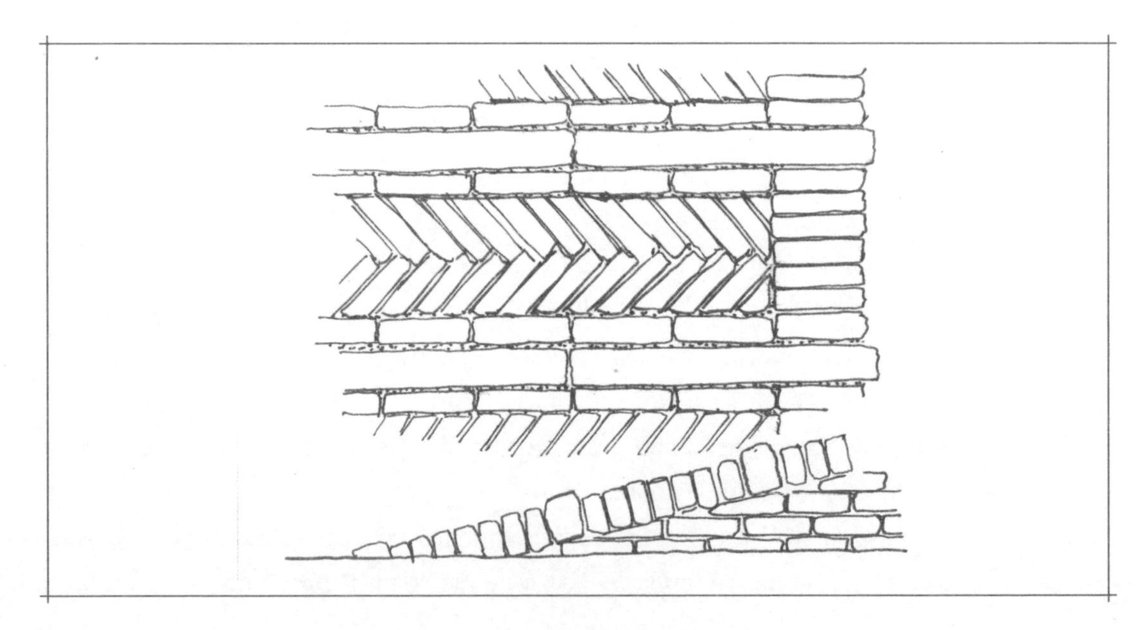

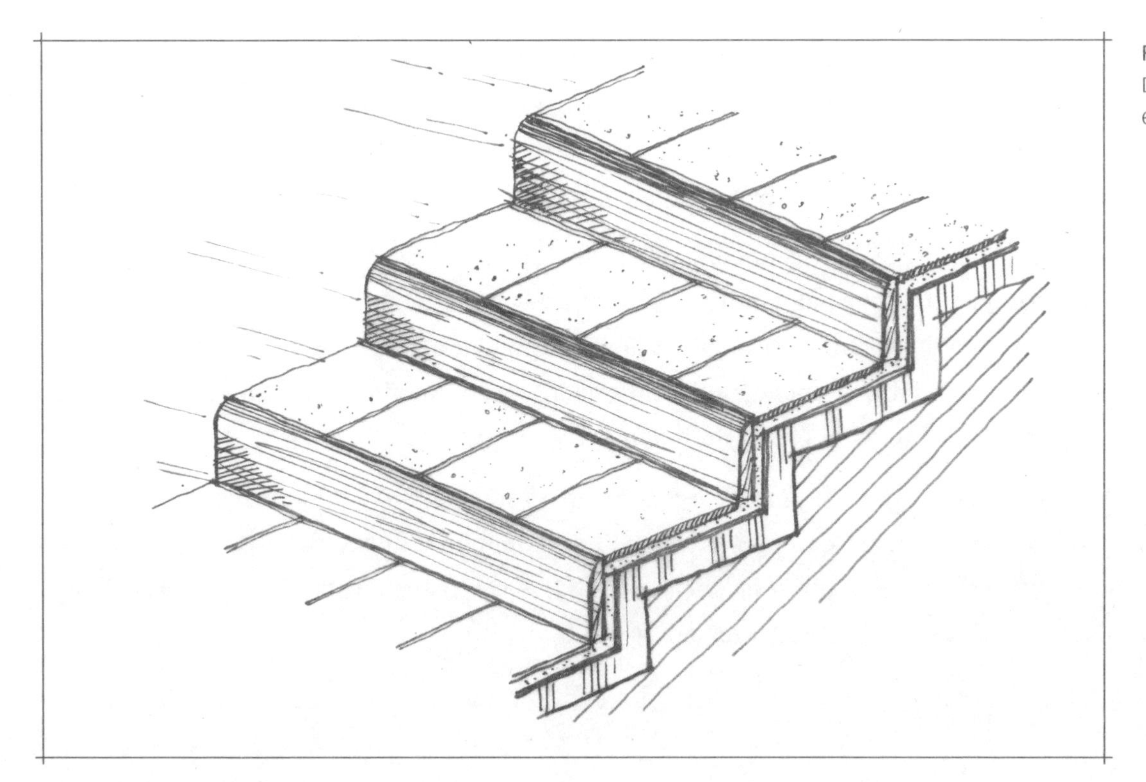

FIGURA 88
Detalhe de arremate de escadas.

para que a maioria das peças não escorregue, devem ficar travadas no perímetro ou numa malha feita também de tijolo, mas assentado com argamassa.

As peças de **cerâmica** são imbatíveis em termos de custo reduzido, gama enorme de padrões e cores, praticidade de assentamento e manutenção. No entanto, há alguns alertas a fazer. O primeiro deles diz respeito aos **arremates das quinas**: considerando que, no Brasil, são raros os produtores de cerâmica que oferecem peças para essa finalidade, o projetista deve se precaver com detalhes que solucionem o problema. Em escadas, por exemplo, deve-se usar pedra ou madeira nos espelhos, de modo a arrematar as bordas das cerâmicas nos degraus. Em quinas de parede, é preciso serrar as peças a 45 graus.

Outra recomendação é guardar peças para **reposição**, em caso de futuros reparos. Se isso não for feito, haverá diferença entre as partes antigas e as novas. É melhor prevenir, pois há sempre mudança de cor em partidas diferentes de cerâmicas e o risco de o produto sair de linha ao longo do tempo.

Nem todas as cerâmicas funcionam bem nas áreas externas. As lisas e os **porcelanatos polidos** não são indicados porque são escorregadios, e as brilhantes exigem limpeza mais constante do que as rústicas ou foscas. Qualquer coisa que caia sobre elas salta à vista e sugere falta de manutenção e cuidado, e seu esmalte corre mais risco de gretar com a ação do sol e da chuva ao longo dos anos.

Para não correr risco, é melhor buscar uma cerâmica que tenha as seguintes características: ser fosca, antiderrapante e com PI 4, no mínimo. PI é a classificação usada pelos fabricantes para indicar a resistência a abrasão e desgaste da camada superficial. Quanto menor for ele, menos resistente será o material.

Componentes metálicos

Os metais comparecem em diversos tipos de equipamentos nos jardins: mobiliário, lixeiras, estruturas de gazebos, pérgolas, churrasqueiras, brinquedos, gradis, telas, corrimões, etc. Especialmente em mobiliários e brinquedos, podem apresentar problemas ao longo do tempo, se não houver manutenção. Quando estão corroídos, apresentam superfícies cortantes e pontas afiadas, colocando em risco os usuários menos precavidos, como as crianças.

Quais metais podem ser empregados? Os **aços comuns** são baratos, maleáveis e resistentes, mas não servem para ambientes de praia, pela grande oxidação que sofrem. Em geral, mesmo longe de regiões marinhas, precisam de proteção especial, como pinturas do tipo primer ou zarcão. Em peças já fabricadas, dê preferência aos aços galvanizados. **Aços inoxidáveis** são mais resistentes à deterioração, mas são bem mais caros.

FIGURA 89
Peças de alumínio: Alcoa Forecast Garden, Los Angeles, EUA, com projeto de Garret Eckbo, 1959.

"Se forem usadas em postes de fixação de gradis e portões, as peças de alumínio devem ser reforçadas internamente com perfis de aço."

Os alumínios são mais leves e menos resistentes que a maioria dos aços. São encontrados em versão anodizada em tons diferentes ou pintados eletrostaticamente em várias cores. Se forem usadas em postes de fixação de gradis e portões, as peças de alumínio devem ser reforçadas internamente com perfis de aço, também chamados almas. Resistem melhor à oxidação, embora em locais de intensa maresia precisem de manutenção periódica com vaselina.

Borrachas

São ideais para pisos nas áreas em que há risco de queda, como pistas de cooper, playgrounds, áreas de ginástica, etc. Há versões moduladas e outras moldadas no próprio canteiro.

As peças da marca Plurigoma® estão disponíveis no formato de 50 cm × 50 cm, com várias cores e texturas, e são assentadas com cola ou argamassa. Nos espaços externos, essas peças devem ser fixadas com argamassa, para que não se soltem com o tempo. Outro tipo de placa é aquela em forma de carretel, da marca Brasibor. São coloridas, macias e próprias para áreas de recreação infantil.

Os pisos moldados na obra são feitos com base em borracha moída misturada com resina. São recomendados para pistas de cooper, áreas de ginástica, pistas de atletismo, etc.

Plásticos e resinas

Esses materiais estruturam decks para piscinas, píeres flutuantes, brinquedos, mobiliários, etc. Mas vão perdendo resistência quando submetidos à ação do sol e da chuva por tempo prolongado. Em sua composição, os plásticos precisam ter proteção contra os raios ultravioleta, determinada espessura para não quebrar e proteção contra abrasão, especialmente nos decks e píeres.

FIGURA 90
Brinquedo de plástico.

Quanto aos brinquedos fabricados com plástico rotativo, são bastante resistentes, suas cores não desbotam tanto quanto antigamente e não possuem quinas ou saliências que possam cortar ou machucar as crianças.

Nesse segmento, figuram ainda as **gramas artificiais**, indicadas para áreas esportivas e de recreação infantil. Funcionam bem, mas possuem certos inconvenientes: no caso de queda de adulto ou criança em movimento, o atrito da pele sobre o material pode causar leve queimadura. A areia sobre a qual são assentadas deve ser bem desinfetada, para não servir de foco de proliferação de micróbios provenientes de fezes e urina de animais.

Por fim, há o asfalto, bem mais conhecido para pavimentação de ruas, mas atualmente disponível também para pisos externos, em cores variadas, além do preto.

"Em sua composição, os plásticos precisam ter proteção contra os raios ultravioleta, determinada espessura para não quebrar e proteção contra abrasão, especialmente nos decks e píeres."

Jardins sobre lajes

7

Nas grandes e médias cidades brasileiras, há cada vez menos possibilidade de se fazerem jardins diretamente sobre o solo, pois a construção de edifícios de apartamentos, de prédios de escritórios, de subsolos para garagem e metrô vem ocupando e impermeabilizando boa parte dos terrenos urbanos.

Para lidar com essa situação, o paisagismo sobre laje é uma alternativa vantajosa. Não é invenção nova, pois desde a Antiguidade já se conheciam jardins sobre tetos planos, como os da Babilônia, embora lá tenham sido realizados por outros motivos que não a falta de espaço sobre o solo.

"No planejamento de jardins sobre lajes, a primeira medida é saber se é possível que a terra do jardim fique no mesmo nível dos pisos, como nos jardins sobre o solo normal."

No planejamento de jardins sobre lajes, a primeira medida é saber se é possível que a terra do jardim fique no mesmo nível dos pisos, como nos jardins sobre o solo normal. Ou se, por questões técnicas ou de custo, os canteiros terão de ser elevados, reduzindo psicologicamente o espaço e tirando o aspecto natural da paisagem.

Em seguida, é preciso estudar o porte da vegetação que será utilizada, se haverá ou não árvores e palmeiras altas, evitando algumas espécies, como as shefleras e os fícus, pelo raizame agressivo que possuem. Essas informações são imprescindíveis para o calculista avaliar as cargas e acrescentá-las no dimensionamento das vigas, lajes e pilares do prédio. Só para ter uma ideia, o uso de plantas maiores implica canteiros mais profundos, entre 1,20 m e 1,50 m, que aumentam consideravelmente o peso sobre a estrutura. Isso sem falar no peso das plantas: uma palmeira com 6 m de altura pesa cerca de 3 toneladas e apresenta um torrão de 1,20 m de diâmetro. Portanto, desde o início do projeto, é preciso ter claras todas essas questões.

Como se faz

Começando pela laje, é necessário tomar uma série de providências. Faz-se uma camada de regularização com argamassa, de modo que se dê caimento da água para os ralos, que deverão estar tanto nas áreas de piso como sob os canteiros. Sobre essa regularização, aplica-se impermeabilização com manta anti-raízes e, para protegê-la de perfurações, coloca-se nova camada protetora de argamassa.

Por cima desse estrato, emprega-se 10 cm de brita ou argila expandida, para criar vazios e facilitar a drenagem da água. Isso é importante para evitar que as raízes venham a apodrecer. Essa camada drenante deverá ser coberta ainda por manta geotêxtil, que é uma espécie de tela fechada para filtrar a água, separando-a do último componente – a terra para o plantio.

A porção de terra deve ter no mínimo 40 cm de profundidade, mas se forem usadas arvoretas e arbustos maiores, o ideal é 70 cm de profundidade. Caso isso não seja possí-

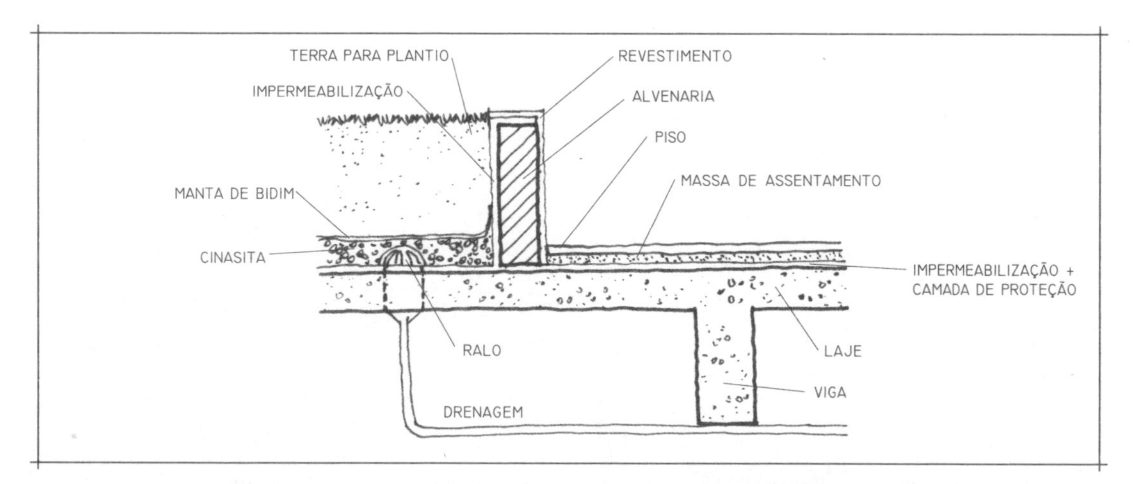

FIGURA 91
Detalhe de jardim sobre laje.

vel, um recurso é criar pequenas elevações ou dunas para essas plantas. Mas tome cuidado, pois dunas sob os pés de todas as árvores resultam num péssimo efeito estético. Outra solução é fazer caixas para baixo nas lajes.

Camadas de terra menores que 40 cm são toleráveis para gramados, desde que se utilize irrigação automática, com *timers* computadorizados. Sem isso, a ação constante do sol e do vento resseca rapidamente o solo e compromete a grama.

Embora o manejo e **preparo da terra** não seja o objetivo deste trabalho, aqui vai uma dica: dose a composição para que a terra não fique nem muito argilosa nem arenosa, garantindo a aeração das raízes e evitando a compactação. Também verifique o Ph do solo: se estiver ácido, será necessária a adição de produtos químicos para corrigi-lo.

Canteiros embutidos

É a situação ideal e mais próxima do paisagismo sobre o chão natural. Consiste em **rebaixar os canteiros**, fazendo que o jardim fique um pouco abaixo dos pisos acabados dos espaços internos.

Somente é possível fazer canteiros embutidos quando o paisagismo é pensado, desde o início, em paralelo aos demais projetos do edifício. Portanto, não se pode criá-los em

FIGURA 92
Detalhes de canteiros embutidos.

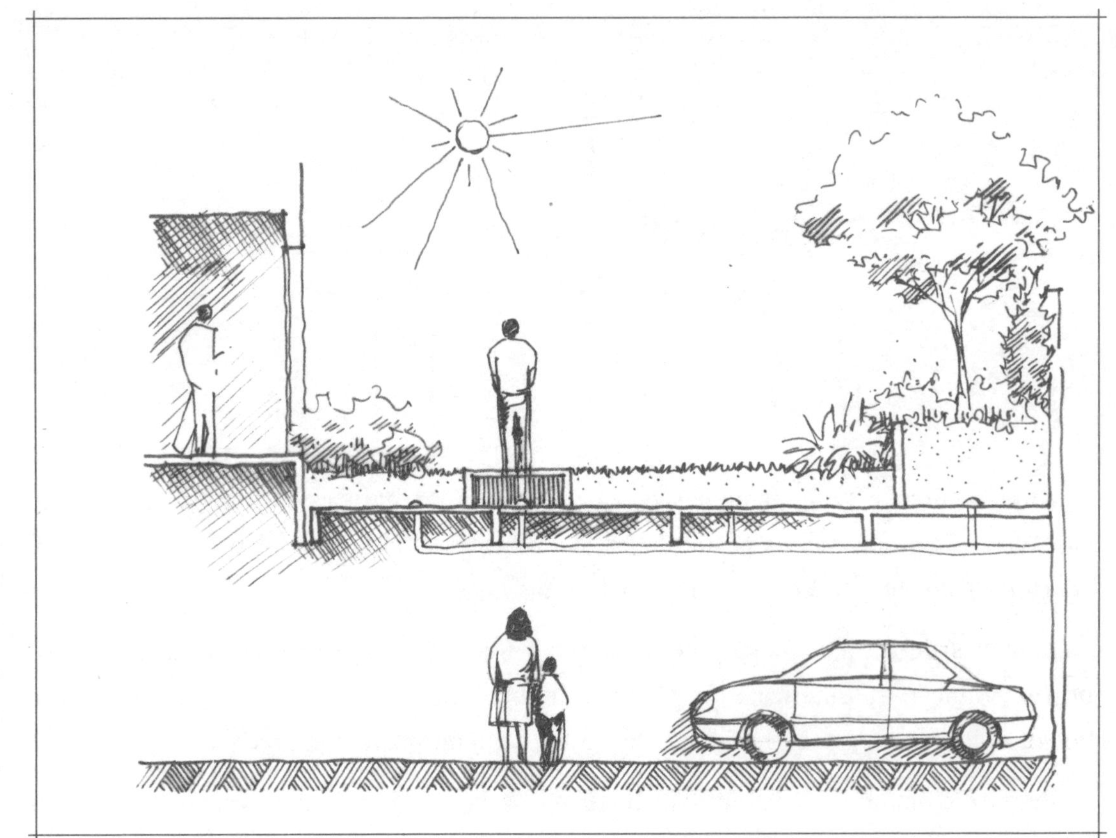

"Somente é possível fazer canteiros embutidos quando o paisagismo é pensado, desde o início, em paralelo aos demais projetos do edifício."

prédios já concluídos, onde o jardim vai entrar como arremate. Isso porque há uma série de detalhes por considerar, começando pela previsão de um desnível entre as áreas internas e externas, de maneira que a terra seja colocada em quantidade suficiente alguns centímetros abaixo das portas, para que não entre água em dias de chuva.

Canteiros elevados

Quando não há condições de se fazer jardins sobre laje com toda a superfície numa única cota e coincidindo com os pisos internos, um dos recursos é usar canteiros elevados,

FIGURAS 93A, 93B E 93C
Detalhes de canteiros elevados.

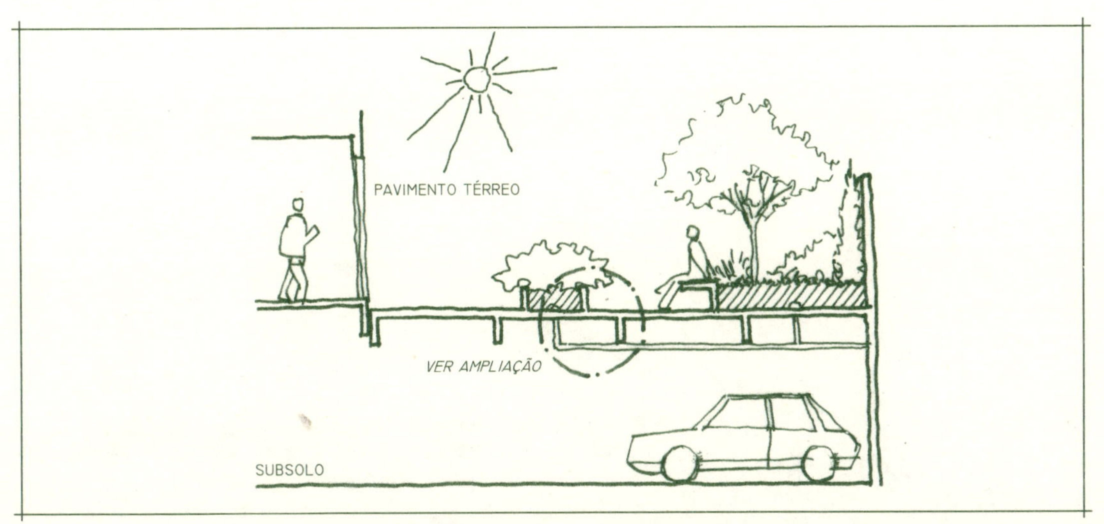

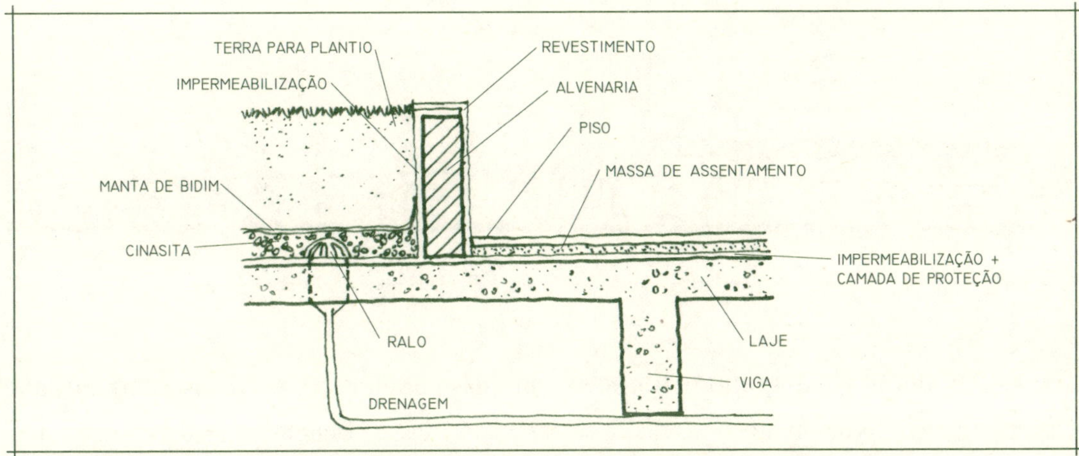

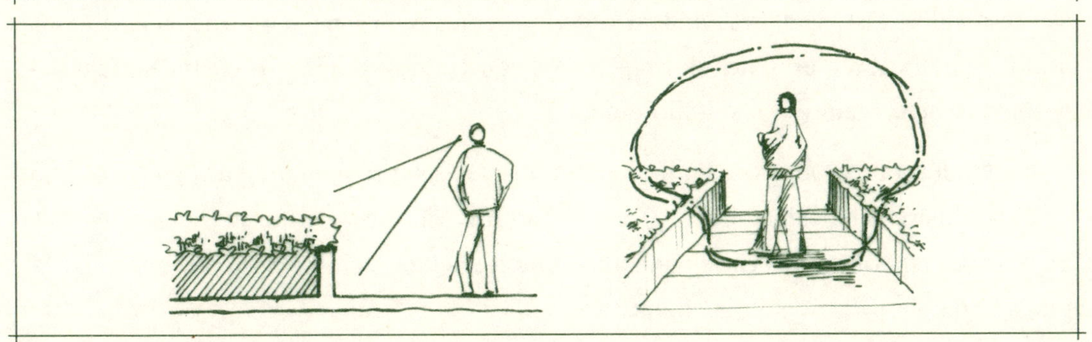

FIGURA 94
Canteiros com tentos e taludes.

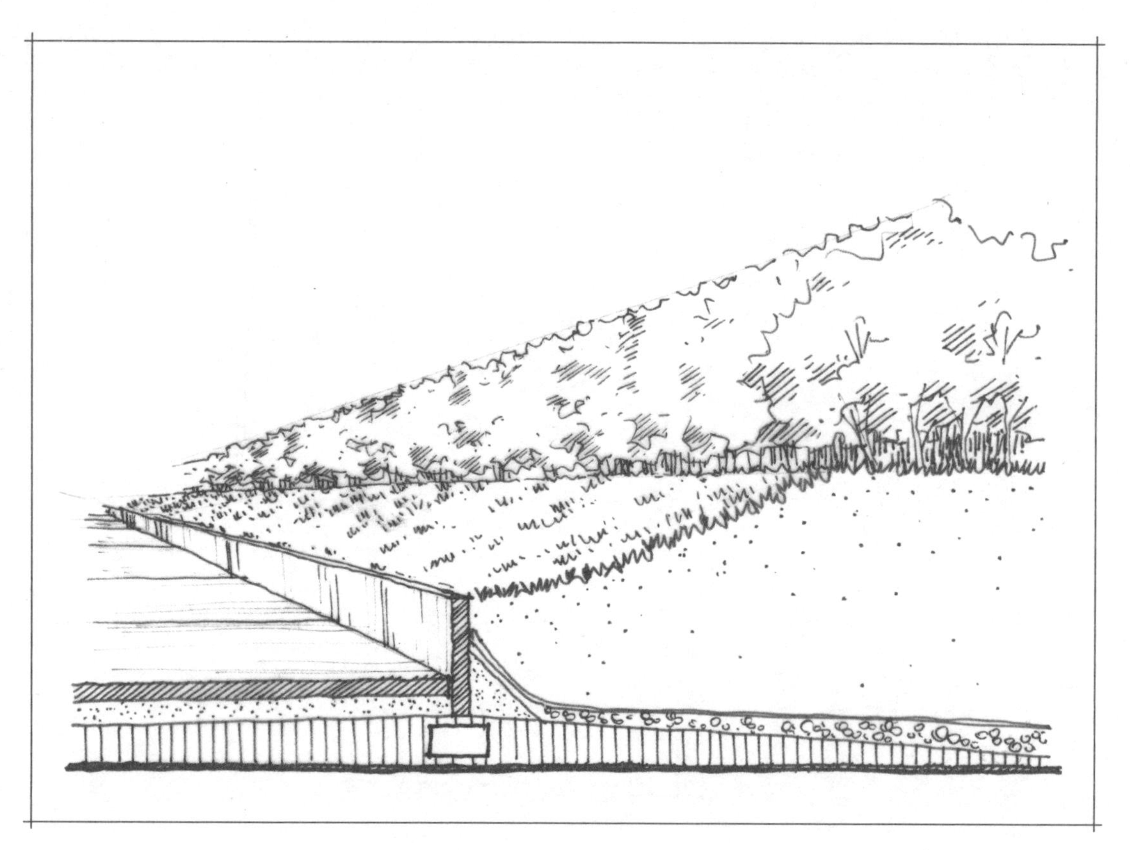

que são estruturas como **grandes floreiras**, contidas por muretas ou tentos e entremeadas por caminhos pavimentados e áreas de estar mais baixas. Dependendo da forma como são resolvidos, esses canteiros podem sugerir a redução do espaço e tornar o jardim mais árido, pela marcante presença dos elementos construídos. Embora o custo seja um pouco menor, nem sempre o resultado é bom.

Na **solução das muretas**, há dois caminhos. O primeiro é empregar alvenarias tradicionais impermeabilizadas, com 50 cm de altura. São peças robustas, em função das mantas de impermeabilização e camadas protetoras, que geralmente recebem rodapés e pingadeiras de pedra como acabamento.

A segunda opção é aplicar tentos com 20 cm a 25 cm de altura e, daí para cima, trabalhar o solo como talude, totalizando 50 cm. Os tentos podem ser feitos com material plano e estreito, como placas de concreto ou lâminas de pedra serrada. Essas peças são assentadas em pé sob base de concreto, com aditivos impermeabilizantes na massa, chanfrada para dentro de modo que o recobrimento da terra desapareça. Para não desmoronar, o talude deve ser protegido por grama ou outra forração que fixe o solo. Se comparada à opção anterior, essa é bem mais elegante, tem menor custo e não interfere tanto no espaço resultante.

"As caixas precisam ser conectadas umas às outras por tubos horizontais, para garantir que não inundem, caso haja entupimento de algum ralo."

Nos canteiros muito estreitos, com largura menor que 70 ou 80 cm, é praticamente impossível usar a solução com tento, pois não há espaço suficiente para acomodar o talude e a área plana do canteiro. Nesse caso, é recomendada a mureta tradicional, de preferência recoberta por forrações pendentes, como heras (*Hedera helix* ou *Hedera canaricuns*) e amendoim-rasteiro (*Anachis repens*).

Lajes invertidas

Quando a laje está pendurada sob vigas, chama-se invertida. Nessa situação, é criada uma série de caixas que podem ser usadas para canteiros com plantas e, nas áreas de piso, preenchidas com material leve (argila expandida, concreto celular, etc.) ou ainda fechadas com pisos elevados.

As precauções necessárias dizem respeito sobretudo à drenagem e impermeabilização. As caixas precisam ser conectadas umas às outras por tubos horizontais, para garantir que não inundem, caso haja entupimento de algum ralo. Esses tubos de ligação são pontos frágeis da impermeabilização e precisam ser cuidadosamente tratados para que não causem vazamento no andar de baixo.

Se optar por enchimentos leves, é necessário prever ralos tanto na parte superior da caixa, no nível do piso, como por baixo, no fundo da laje, para melhor garantir a drenagem em dias de chuva.

FIGURAS 95A E 95B
Canteiros em lajes invertidas.

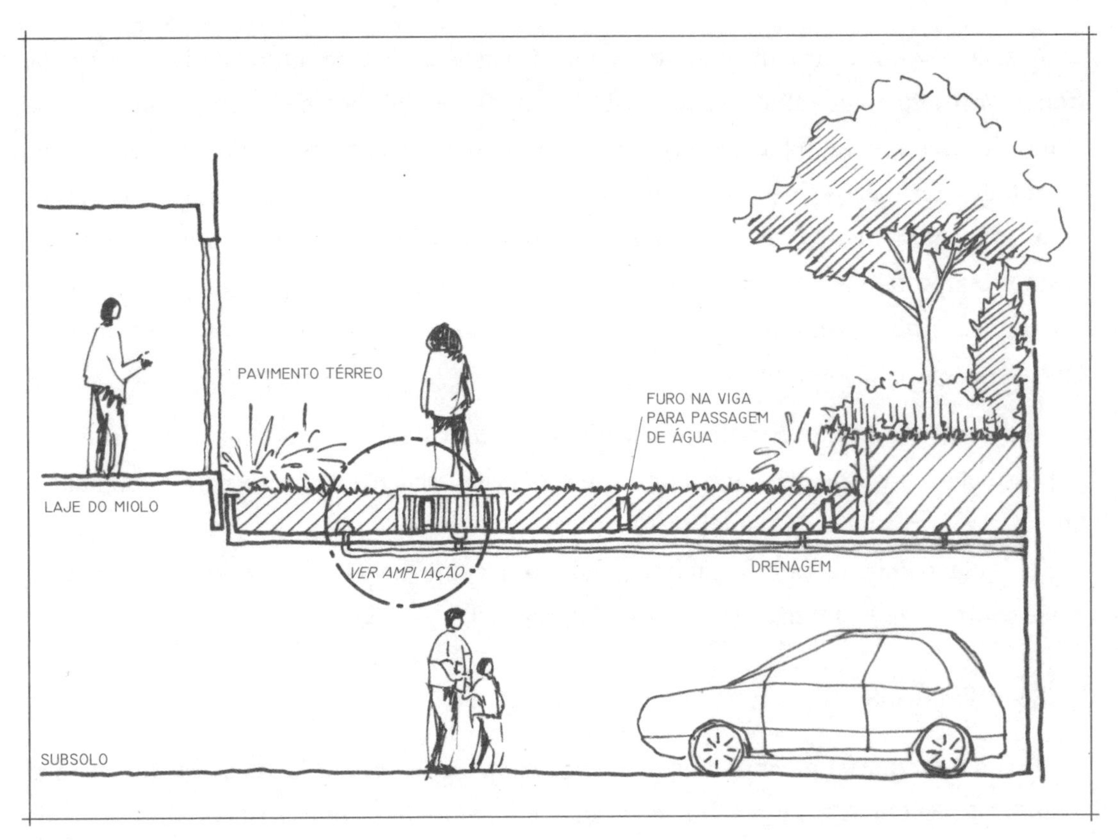

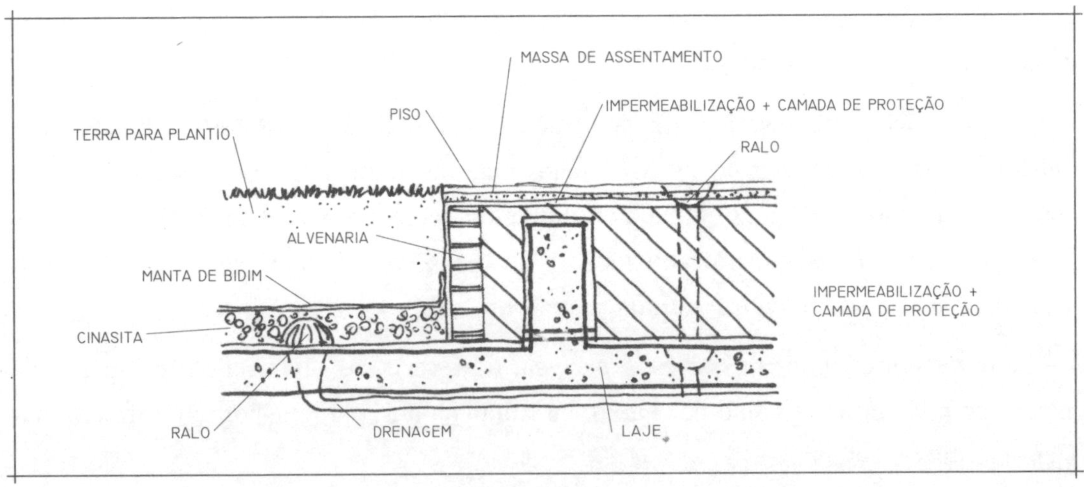

Lajes escalonadas

É solução para casos em que a laje que receberá o jardim está abaixo da laje dos espaços internos. Essa variação conforma caixas com 65 cm de altura ou mais, que podem ser preenchidas com plantas, pisos elevados ou enchimentos.

Se forem destinadas às plantas, essas caixas devem estar organizadas da seguinte forma, de baixo para cima: 10 cm de camada drenante e regularização do piso, 40 cm de terra e 15 cm para desnível entre a área externa e o piso interno.

Considerando que não é possível subir o nível da laje do térreo em relação à calçada mais do que o estipulado por lei, essa solução, que necessita de bastante espaço de

FIGURA 96
Solução em lajes escalonadas.

altura, exige o rebaixamento dos pisos dos subsolos e, consequentemente, maior área para as rampas de acesso aos veículos.

Isso pode ser problemático para os casos de terrenos em aclive ou seja, aqueles que sobem para o fundo quando as alturas dos arrimos aumentam. Ou naquelas situações em que o lençol freático é alto, resultando em mais tempo de obras e maiores custos de manutenção ao longo do tempo, com o bombeamento da água.

Por outro lado, pode ser uma solução interessante para terrenos em declive, principalmente os que descem bastante para o fundo, ao possibilitar subsolos com maior pé-direito. Traz vantagens também no sentido de facilitar a execução das fôrmas e da concretagem e de evitar pontos frágeis da impermeabilização, pois não necessita de ligações entre as caixas.

Pisos elevados

"A vantagem do sistema é a possibilidade de retirar as placas, que apenas ficam encaixadas, em qualquer tempo e reparar problemas de impermeabilização, sem quebrar pisos e sem fazer sujeira."

São placas feitas de concreto armado ou de pedras reforçadas com telas e resinas especiais. São dispostas sobre pedestais ajustáveis metálicos ou plásticos, de modo que se crie um vazio em relação à laje, que serve para a passagem de tubulações de infraestrutura e mesmo para a manutenção da impermeabilização da laje.

A vantagem do sistema é a possibilidade de retirar as placas, que apenas ficam encaixadas, em qualquer tempo e reparar problemas de impermeabilização, sem quebrar pisos e sem fazer sujeira. É sempre bom lembrar que a impermeabilização é um dos itens que mais exige consertos com o tempo e torna-se irracional ter de arrebentar pisos nobres, como granito assentado com argamassa, para resolver vazamentos.

Como os vãos entre as placas deixam passar água, é necessário prever ralos na laje. Se for necessário instalar postes, luminárias e brinquedos, tudo se faz sobre as placas ou em suas estruturas de apoio, evitando, portanto, ferir a impermeabilização da laje.

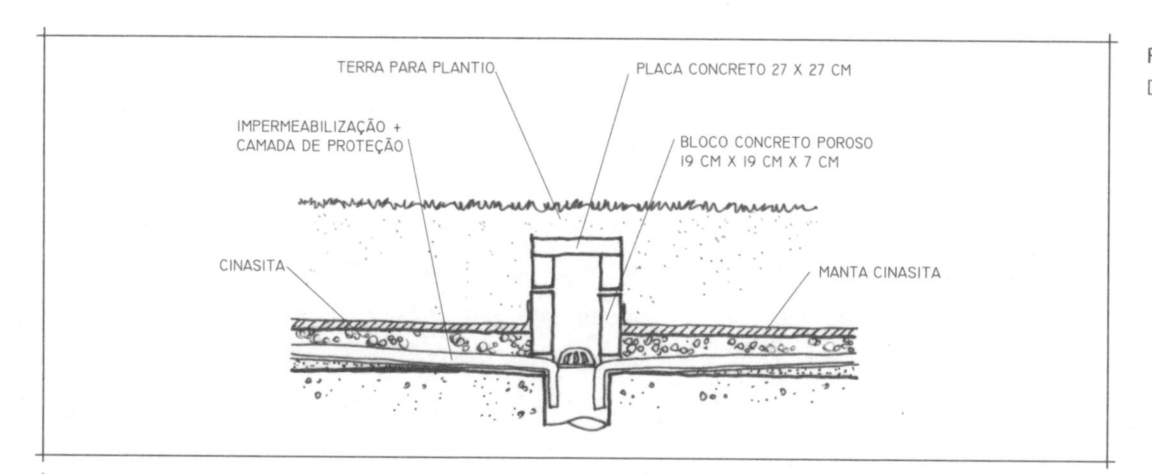

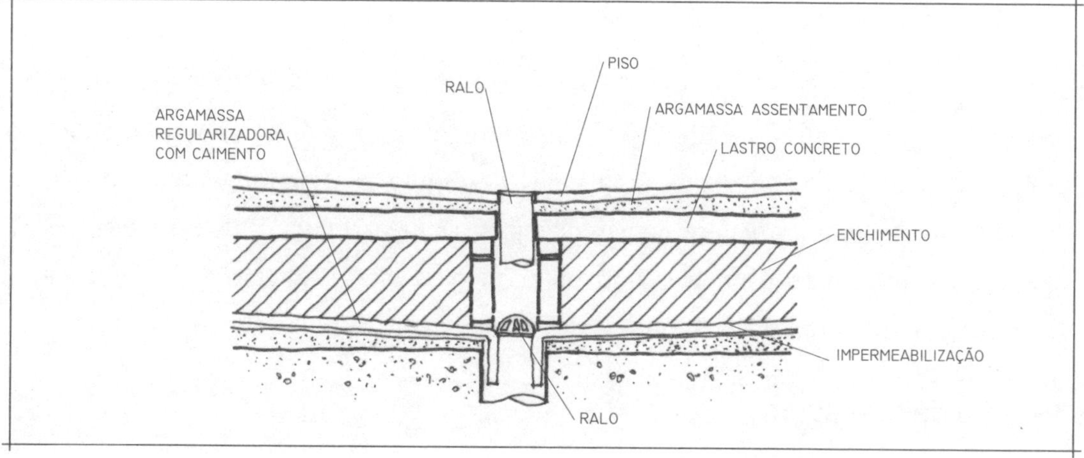

FIGURAS 97A E 97B
Detalhes de drenagem.

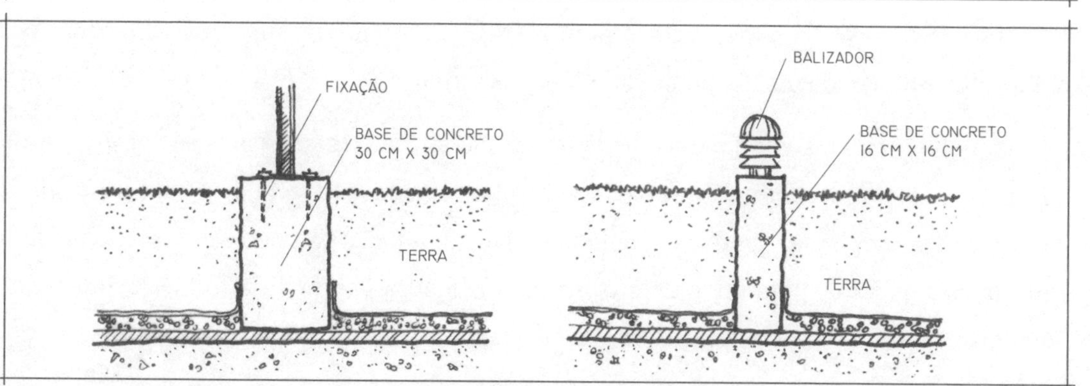

FIGURA 98
Detalhes de fixação de postes e luminárias sobre a estrutura dos pisos elevados.

Em geral, os pisos elevados são empregados em jardins cujos pisos ficam na mesma altura dos canteiros de vegetação. Para que a terra não invada os vazios sob eles, são feitas muretas de separação.

Hoje existem empresas especializadas em pisos elevados que oferecem vários sistemas: desde placas menores, com 50 cm × 50 cm e maior quantidade de suportes, até placas maiores, com 80 cm × 80 cm e menor número de bases. Por isso, é recomendável saber de antemão qual sistema será usado e o que se adapta melhor à modulação do projeto.

Muros técnicos

Quando as garagens não possuem altura que permita acomodar tubos de esgoto ou mesmo quando se quer esconder esses elementos, os muros técnicos resolvem bem o problema. A ideia é conduzir as tubulações de esgoto dos apartamentos e de águas pluviais da cobertura por dentro de pérgolas para as divisas laterais. Nelas executam-se os muros técnicos, que são armários horizontais para receber as tubulações. Esses armários se prolongam até a rua e devem apresentar portas para manutenções periódicas.

Sistema de drenagem

É possível trocar os ralos, que são pontos frágeis na impermeabilização das lajes, por canaletas que conduzem as águas pluviais até a rua.

De preferência, essas canaletas deverão ser metálicas e estar dispostas sob o teto do primeiro subsolo, permitindo que se façam sobre elas pisos elevados e mesmo jardins. Se for o caso de plantar sobre as canaletas, alguns cuidados são necessários: usar placas com frestas ou furos para drenagem cobertas por manta geotêxtil, a fim de evitar entupimentos provocados pelas raízes ou pela terra.

FIGURA 99
Sistema de canaletas para levar águas pluviais até a rua.

Calçadas técnicas

Em condomínios horizontais e loteamentos, as calçadas técnicas são galerias sob as calçadas, com acesso para manutenção por meio de placas soltas no piso. Por essas galerias, passam as redes elétrica e de telefonia, cabos de fibra ótica, tubulações de água, gás, etc. A vantagem é a manutenção sem necessidade de quebrar ou desenterrar nada, como sempre acontece nas cidades.

Todos os passos

8

Para finalizar, este capítulo focaliza todos os passos que envolvem o trabalho do paisagista, com comentários sobre as etapas de projeto e a relação com os diversos tipos de clientes. Percorre desde as primeiras reuniões para se estabelecer o programa e o orçamento até as visitas de acompanhamento do plantio, procurando relatar os objetivos, as necessidades e os problemas mais comuns em cada fase.

Para facilitar a compreensão, as etapas do projeto são apresentadas detalhadamente em ordem sequencial. No entanto, a realidade mostra que esse processo está longe de ser linear e direto, o que implica avanços e retornos em alguns momentos, como no

"As etapas do projeto são apresentadas detalhadamente em ordem sequencial. No entanto, a realidade mostra que esse processo está longe de ser linear e direto."

caso do zoneamento. Há situações em que se trabalha com diferentes hipóteses de zoneamento, o que exige várias visitas ao terreno para vislumbrar qual projeto ficará melhor. Desse modo, após suar a camisa testando, descartando e reelaborando ideias, chega-se a uma solução mais afinada, com todas as variáveis e condicionantes estudadas e, preferencialmente, resolvidas.

No início, essa fase de definição de caminhos pode parecer árdua, mas com o tempo, e a experiência acumulada, as coisas mudam. O projetista poderá até mesmo definir seu próprio modo de trabalhar e suprimir algumas fases apresentadas a seguir.

Conhecendo o cliente

No primeiro contato, é importante que você ouça e consiga perceber quais são as **vontades e necessidades** do cliente, seja ele público ou particular. Preste atenção em suas intenções, dúvidas e expectativas. Quando você fizer seus comentários sobre as possibilidades do projeto, deverá passar confiança, demonstrando que é a pessoa certa para o trabalho.

Geralmente o cliente de residência traz mais dúvidas e ansiedades que o empreendedor ou contratante público. Quer saber de imediato como as coisas serão feitas, se não haverá absurdos, se gostará do produto final e se poderá sugerir mudanças ao longo do trabalho. E principalmente quer ter uma ideia de quanto custará o projeto e a implantação para ter certeza de que poderá pagá-los.

Constatando essas questões, é bom acalmá-lo logo, mostrando que o projeto terá várias fases, exatamente para fazer ajustes e chegar ao melhor produto, com **custo compatível**. Comente que o procedimento profissional é enviar, após esse encontro, uma proposta de honorários e estimativa de custos da execução do jardim. Mas avise também que poderá haver variações de custos no decorrer do processo, considerando que o orçamento inicial será feito sobre o estudo preliminar, que não tem todas as informações, e o orçamento final, sobre uma base mais completa – os projetos de execução e de plantio.

FIGURA 100
Na primeira reunião, é importante descobrir as vontades e necessidades do cliente.

Nos empreendimentos imobiliários, o primeiro contato poderá ser uma troca de ideias entre vários profissionais para definir qual será o produto e o público-alvo. Nesse encontro, além do paisagista, estarão presentes os incorporadores, os empresários de vendas, a empresa de pesquisa de mercado, o publicitário, o construtor, o arquiteto, o decorador, etc. Nesse caso, conhecer a localização do imóvel, as características da região, o valor de venda do metro quadrado construído para definir o padrão, os acessos e os equipamentos do entorno é fundamental para as discussões e conclusões.

"Os valores oscilam conforme a dimensão, a natureza e a complexidade do trabalho: projeto residencial, comercial, institucional, jardim sobre laje, terrenos acidentados, etc."

Em projetos públicos, é importante conhecer os objetivos políticos, sociais e culturais da iniciativa e saber quais departamentos, profissionais e representantes estarão envolvidos, dependendo das escalas do trabalho: arquitetos, historiadores, assistentes sociais, economistas, agrônomos, botânicos, ecólogos, políticos, membros da sociedade civil, etc. Com o avanço do trabalho, é fundamental um contato direto com a população que vai usufruir do projeto para discutir as necessidades, as expectativas, o programa e as possíveis formas de envolvimento dessas pessoas em todo o projeto e na execução das obras.

Proposta de trabalho

Em geral, a proposta de trabalho engloba três partes: apresentação, fases do projeto e custos profissionais.

Na apresentação, fala-se sobre os objetivos gerais e os benefícios do projeto, as preocupações e as abordagens previstas. Enfim, faz-se a demonstração do conhecimento do problema e o delineamento da solução.

Nas fases do projeto, as etapas são expostas, assim como os procedimentos em cada uma delas e em quanto tempo serão elaboradas:

1. estudo preliminar;
2. anteprojeto;
3. pré-executivo;
4. projeto executivo dos elementos construídos;
5. projeto executivo de plantio.

Quanto aos honorários, apresenta-se o valor a ser pago e como será pago o trabalho profissional: por mês ou por fase entregue, etc. É bom lembrar que, geralmente, esses valores não incluem levantamentos topográficos (essenciais para o início do trabalho),

FIGURA 101
O cálculo dos honorários varia conforme a dimensão, a natureza e a complexidade do projeto.

cópias do projeto, viagens, estadas, visitas ilimitadas para o acompanhamento da obra e do plantio, etc. Esses custos devem ser apresentados à parte.

A Associação Brasileira de Arquitetos Paisagistas (Abap) possui uma tabela de honorários que ajuda bastante como referência. Os valores oscilam conforme a dimensão, a natureza e a complexidade do trabalho: projeto residencial, comercial, institucional, jardim sobre laje, terrenos acidentados, etc.

No entanto, a própria entidade recomenda que, para projetos maiores, fora de áreas urbanas, utilize-se o critério **homem–hora**. Isso significa calcular o trabalho direto, os custos indiretos, os impostos e a margem de lucro. No trabalho direto, há o tempo das reuniões, as visitas de reconhecimento do local e conversas com o cliente, as horas de elaboração de projeto, os custos que dependem da categoria dos profissionais (coordenador profissional pleno, sênior, júnior ou estagiário), além dos materiais de escritório (papéis, tintas, cópias, fotografias e plotagens), etc. Os custos indiretos envolvem aluguéis, softwares, hardwares, energia elétrica, telefone, água, secretárias, faxineiras, etc. Preste atenção nos impostos, que não são nada desprezíveis no Brasil. A margem de lucro deve ter uma reserva, até mesmo para sobreviver a épocas sem trabalho.

Ao computar tudo, chega-se ao valor a ser cobrado e negociado com o cliente. Algumas empresas insistem em contratar por prancha de desenho entregue. Nesse caso, é importante verificar o tempo despendido no critério homem-hora e dividir pela estimativa de pranchas a ser entregue.

Em relação aos prazos, é bom prever que para avançar em algumas etapas depende-se de informações de outros profissionais envolvidos no trabalho. Por exemplo, em prédios residenciais ou comerciais, saliente que o pré-executivo de paisagismo só poderá ser entregue tantos dias após o recebimento do projeto de fôrmas do calculista.

Iniciando o projeto

Uma vez fechado o contrato, é pôr a mão na massa. Para iniciar o trabalho, a quantidade e o tipo de **dados necessários** variam, dependendo do tamanho da área, do tipo de utilização (residencial, comercial, industrial, uso público, particular ou coletivo), das edificações implantadas ou por implantar, da paisagem do entorno, das necessidades específicas dos usuários, etc. Mas, como roteiro, as informações mais significativas são enumeradas, a seguir.

- Deve-se conhecer a legislação e as restrições legais a que o projeto estará sujeito. Por exemplo: recuos mínimos para as edificações do jardim, como gazebos e piscinas, porcentagem de área permeável, porcentagem de área verde, desníveis mínimos ou

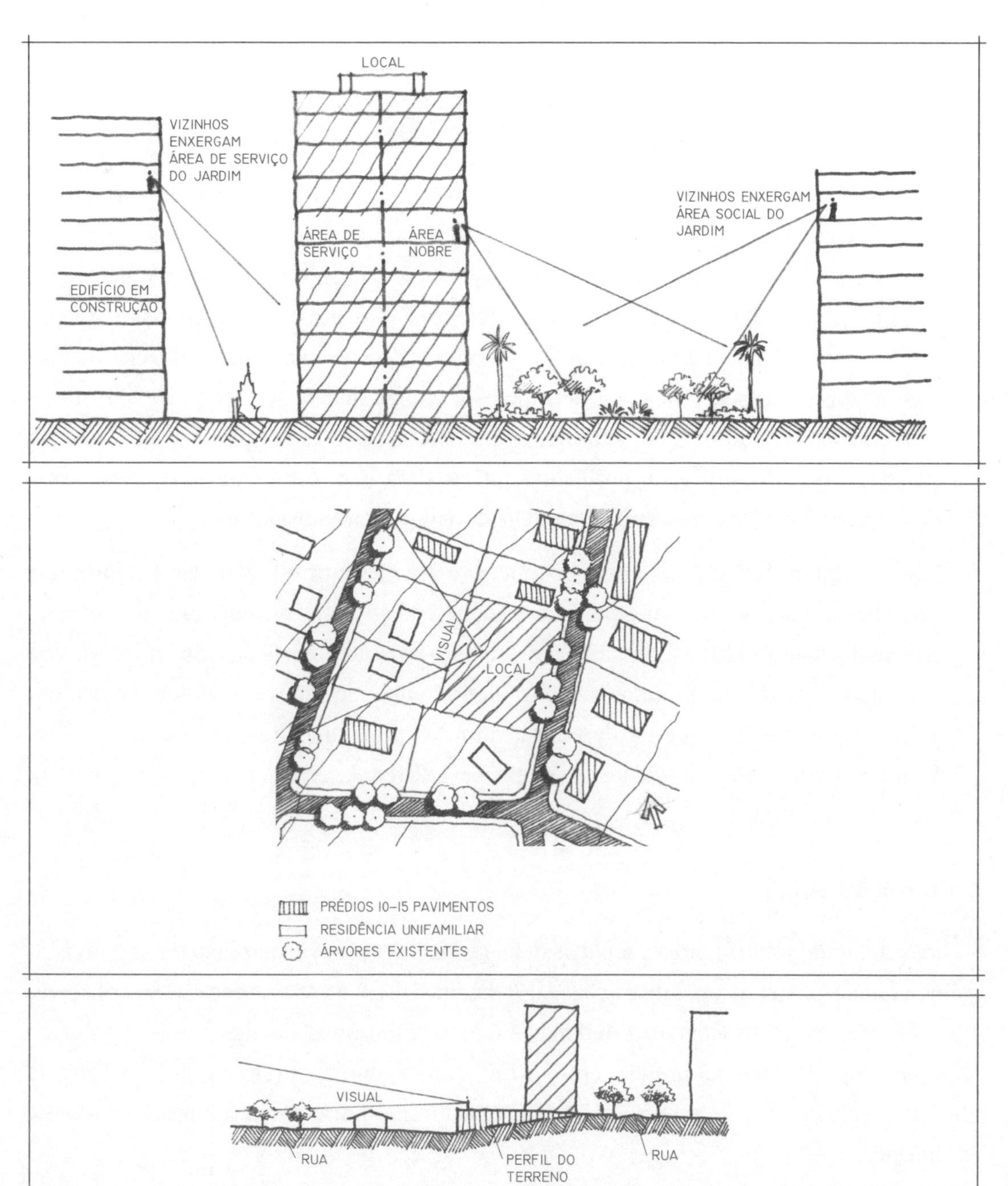

FIGURAS 102A, 102B E 102C
Levantamento das vistas e condições do entorno.

máximos, altura máxima de muros, legislação ambiental sobre vegetação a ser plantada no terreno como compensação de remoção de árvores existentes, obrigatoriedade de espécies nativas da região, etc.

- É especialmente importante reunir cartas, mapas, fotos aéreas, levantamento topográfico com a orientação de norte, levantamento dos maciços vegetais, etc. em projetos maiores e de uso público. Verifique os usos do solo do entorno, a densidade da população, a demanda de uso, as faixas etárias dos prováveis usuários, a vegetação existente devidamente cadastrada e, principalmente, em quaisquer circunstâncias, imagens do local. Em grandes projetos, também podem ser necessários os dados relacionados ao tipo de solo, subsolo, fauna, hidrologia, lençol freático, informações sobre recursos disponíveis e problemas locais. Para isso, é fundamental a assessoria de técnicos especializados ou montagem de equipe multidisciplinar.
- Com **visitas ao terreno**, é possível conhecer a área e sentir o lugar. Isso é importante não apenas para se informar sobre as características do local, mas também sobre o espaço formado pelos vazios adjacentes, os horizontes e visuais do entorno, que poderão ser usados no projeto. Nesse trabalho, tenha em mãos o levantamento topográfico para anotar o que há de bom e ruim, os problemas e os potenciais da área. Marque a orientação, as vistas, a vegetação existente, a presença de água, ventos, etc.

Orientação solar

Perceba onde está o norte e, a partir dele, defina as áreas ensolaradas ou sombreadas pelos volumes vegetais ou construções situadas na área e na vizinhança. Essas observações devem ser analisadas em diferentes estações e horários do dia. Por exemplo, no verão em São Paulo, o sol projeta, entre 9 h e 15 h, sombras a oeste e leste, com ângulo de 45 graus. No inverno, porém, as sombras no mesmo horário são maiores, a sudoeste e sudeste.

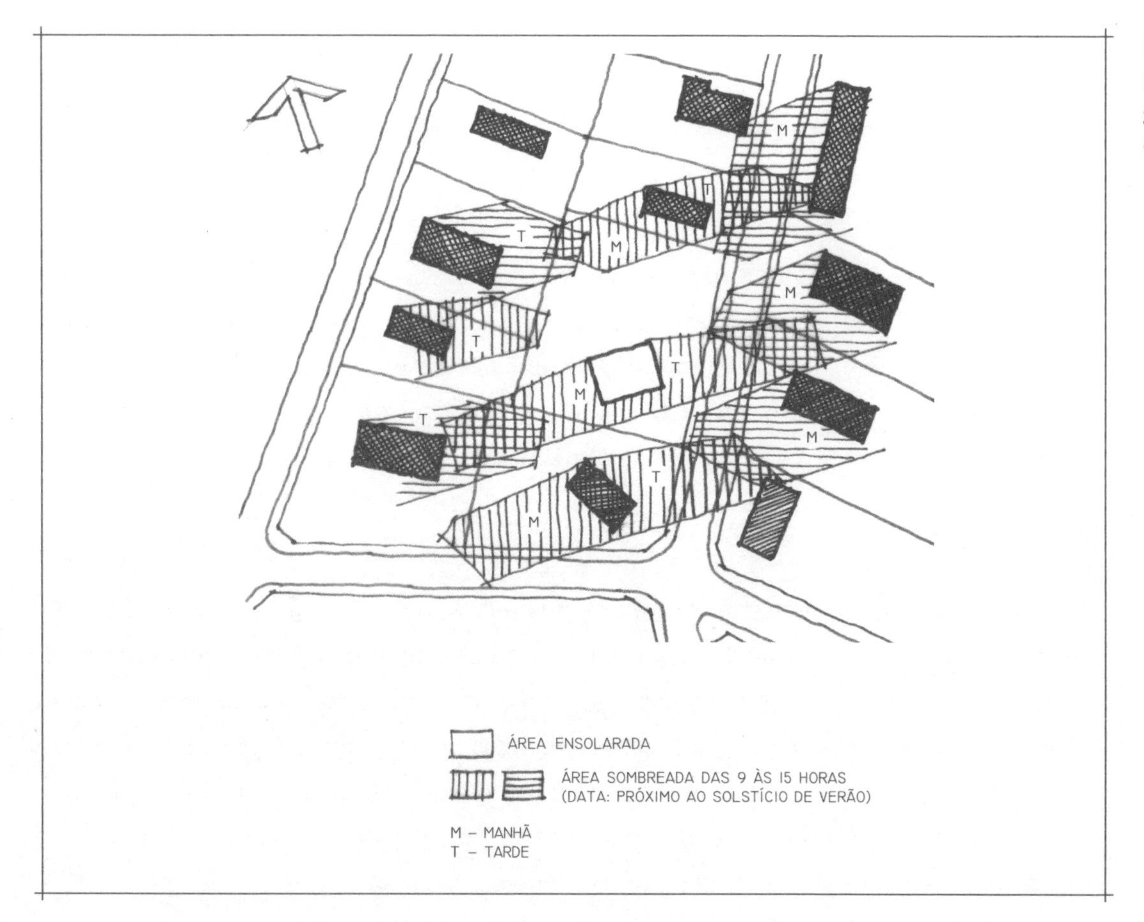

FIGURA 103
Estudo das sombras geradas pelas construções vizinhas.

Conseguir áreas ensolaradas em grandes cidades nem sempre é fácil, pois o congestionamento de altos edifícios em determinadas regiões faz que elas se tornem cada vez mais raras. Assim, todo pedacinho de terreno ensolarado ao longo do dia deve ter destino certo: áreas de recreação infantil, piscinas, solários, etc.

As sombras podem ter seu lado positivo, especialmente para áreas de estar, esportivas, de caminhadas, etc. em regiões quentes. Mas o plantio de espécies fica restrito àquelas que se adaptam a essa condição.

Entornos e vistas

Saber o que interessa valorizar ou esconder da paisagem ao redor é ponto de partida obrigatório. Com isso, é possível relacionar ou não o projeto aos seus entornos, informando as primeiras ideias de criação dos espaços ou localização de equipamentos.

Os pontos de observação devem ser analisados tanto a partir da área de projeto como do entorno. No primeiro caso, avalia-se o que é bom que o usuário veja desde o terreno e se verifica se há vistas mais amplas que possam ser usadas para sugerir virtualmente espaços maiores no projeto. Olhando de fora para a área de trabalho, é possível prever como a proposta irá interferir e valorizar sua vizinhança.

Formas de relevo

O modelado do terreno existente ou os trabalhos de terraplanagem pode ser o principal fio condutor da proposta. Terrenos em aclive ou declive permitem soluções interessantes de captar visuais e atribuir movimento à paisagem. Alguns equipamentos, como quadras, piscinas, áreas de estar, etc. requerem áreas planas. Para tanto, os platôs devem ser estudados juntamente com os taludes e desníveis resultantes. Lembre-se de que existem legislações limitando as porcentagens de inclinação de acessos e rampas, e o acesso de deficientes deve ser sempre assegurado, principalmente em condomínios e áreas públicas.

Teoricamente, é possível modelar o terreno para implantar qualquer atividade, equipamento ou edificação desejada, porém a prática demonstra que grandes muros de arrimo são caros e significativos movimentos de terra podem provocar erosão e desestabilidade, além de grandes e indesejáveis cicatrizes na paisagem. O remodelado de grandes áreas requer um desenho técnico e cuidados especiais para não se perder a camada fértil do solo.

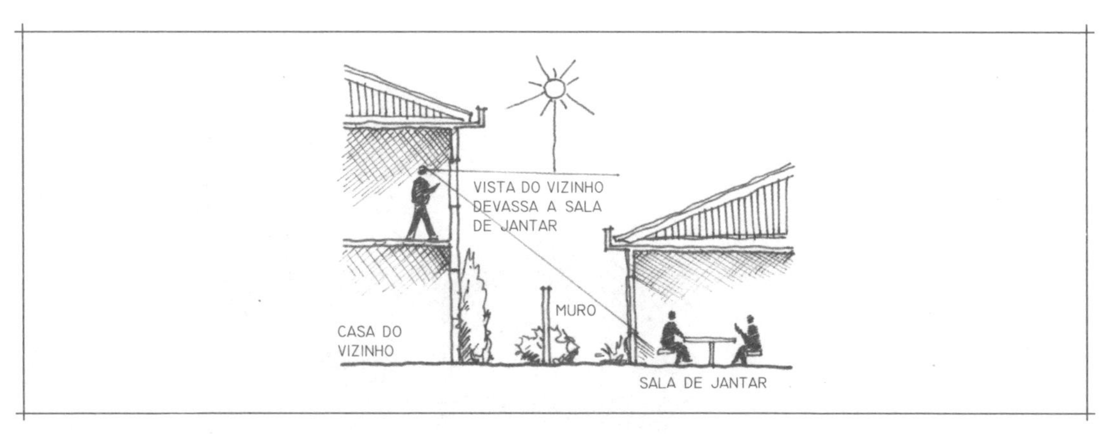

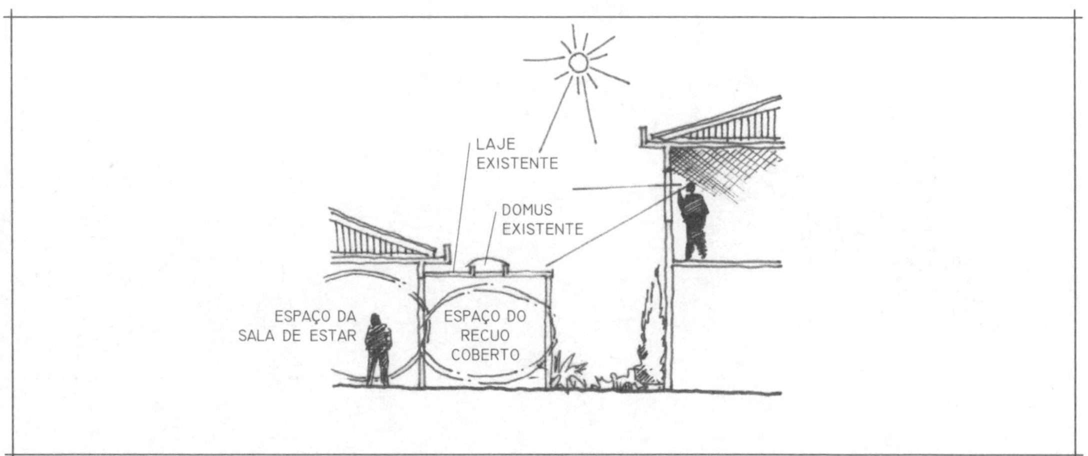

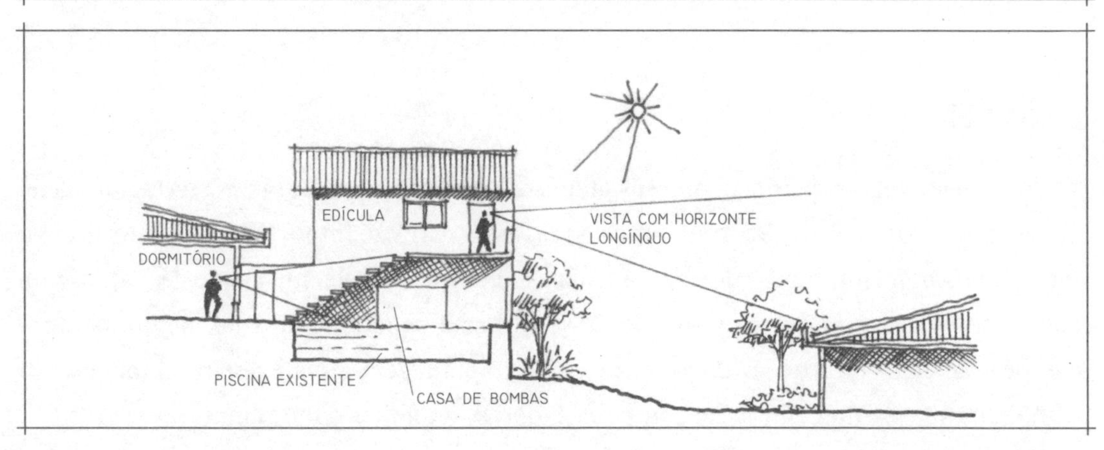

FIGURAS 104A, 104B E 104C
Análise dos pontos de observação.

FIGURA 105
Movimentos de terra: busque uma solução conveniente de corte e aterro.

Solo fértil

É a camada mais superficial, onde as plantas se desenvolvem. Durante a terraplanagem, é necessário atenção para não jogar fora esse estrato importante, misturando-o indiscriminadamente com as demais camadas, como frequentemente acontece. Para tanto, antes de efetuar os cortes e aterros, deve-se raspar a superfície do solo, amontoando-a em local de depósito. Depois da execução da terraplanagem, espalha-se por cima o **solo armazenado**, previamente adubado com material orgânico e/ou adubo químico.

Se o solo fértil foi descartado, a saída é comprar terra boa e fazer a reposição, porém como é um patrimônio não renovável a curto prazo, seu preço é elevado e pode encarecer significativamente o orçamento do jardim.

Dependendo das condições nutritivas do terreno, varia muito o **dimensionamento das covas** para ser preenchidas com terra preparada. Em geral, as dimensões mínimas necessárias são as seguintes:

- árvores precisam de covas mínimas de 0,80 m × 0,80 m × 0,80 m;
- arbustos altos, covas de 0,40 m × 0,40 m × 0,40 m;
- arbustos baixos (herbáceas), camada de 0,25 m a 0,30 m de profundidade pela extensão do maciço;
- forrações e gramados, camada de 0,10 m a 0,20 m de profundidade ao longo da área a ser plantada.

"Sempre que possível, é aconselhável preservar e incorporar na proposta árvores adultas presentes na área. [...] Mas é bom que se diga que não é uma operação muito simples em certas situações."

Vegetação existente

Aproveitar belas árvores ou conjuntos de vegetação existentes confere aspecto de jardim já formado ao projeto, além de proporcionar economia de recursos.

Sempre que possível, é aconselhável preservar e incorporar na proposta **árvores adultas** presentes na área, ainda mais se forem nativas da região ou se possuírem um porte que demoraram anos para atingir. Mas é bom que se diga que não é uma operação muito simples em certas situações.

Se for necessário fazer corte ou aterro no terreno, é importante verificar as cotas onde estão as árvores preexistentes, de modo que elas não fiquem muito abaixo e nem acima das áreas produzidas pela terraplanagem. Em caso de aterro, não se deve colocar de forma alguma **terra sobre o colo** das árvores, isto é, na porção entre as raízes superficiais e o início do tronco. Isso provoca o apodrecimento das cascas e interrompe o fluxo normal da seiva, matando a planta. Nessa situação de aterro, o ideal é fazer uma

FIGURA 106
Em caso de aterro no terreno, não cubra com terra o colo das árvores preexistentes.

mureta, com certa distância, ao redor do tronco para protegê-lo da terra. Ou, se houver mais espaço disponível, fazer taludes afastados ao redor da planta e preencher o espaço resultante com pedrisco, que garante a ventilação e não causa apodrecimento da parte inferior do tronco.

No caso de necessidade de **transplantar** as árvores, há uma série de cuidados a serem adotados, mas é interessante frisar que está longe de ser tão simples quanto parece. O primeiro passo é preparar a sangria das raízes noventa dias antes da retirada do exemplar. Esse procedimento consiste em cavar uma canaleta ao redor do caule, cortar as raízes superiores e preencher a cova com terra adubada.

Três meses depois, quando for efetuado o transplante, marca-se o norte no tronco. Essa indicação é importante para não se inverter a posição da planta em relação ao sol, no replante, acarretando mais sofrimento ao espécime. A seguir, cortam-se as raízes profundas, de maneira que a terra remanescente forme um torrão esférico. Então envolve-se esse torrão com sacos de aniagem, protegendo-o do ressecamento durante o transporte. Recomenda-se também retirar boa parte da folhagem para evitar que a planta se desidrate, pela evaporação e transpiração. No plantio definitivo, em cova larga e com terra adubada, recomenda-se também colocar um tubo plástico vertical para facilitar a rega da porção inferior.

Árvores pesadas necessitam de caminhão munque e até de gruas para serem içadas por cintas. Para isso, deve-se prever que esses equipamentos tenham acesso tanto ao local de retirada como ao de plantio definitivo. Se os caules não forem bem protegidos com mantas e borrachas nos pontos onde serão suspensos, corre-se o risco não apenas de machucá-los, mas também de matar a planta.

Os arbustos e as forrações são mais flexíveis, fáceis de deslocar e com menor risco de perda que as árvores. Sua reutilização exige previsão de armazenamento em viveiros ou locais apropriados, principalmente nos casos em que a remoção deve ser feita em época muito anterior à do plantio final.

Usos da água

Elemento que exerce grande atração na paisagem e sobre as pessoas, a água é importante recurso cênico, na forma de nascentes, córregos, lagos, rios ou represas. É possível aproveitá-la ainda como ponto focal em repuxos, chafarizes, cascatas e espelhos-d'água.

A água se apresenta no subsolo em reservatórios, que são os lençóis freáticos. Quando são rasos, o solo é encharcado, demandando plantas apropriadas. Em paisagismo, essa condição ainda é pouco explorada.

FIGURA 107
Uso da água no Pátio de la Ría, palácio de Alhambra, em Granada, Espanha.

Em grandes áreas, como loteamentos, praças e parques, é importante estudar as bacias de águas pluviais, que geralmente são maiores e estão fora da área de projeto. Isso ajuda a prever o caminho natural das chuvas, evitando bloqueá-lo com equipamentos e canteiros, especialmente em áreas de baixada.

Ventos e ruídos

Saber quais são os ventos dominantes na região ou se há ventos mais fortes em determinadas épocas ajuda na elaboração de proteções. Maciços relativamente altos e espessos funcionam bem para esse fim, mas se não houver muito espaço é melhor usar elementos construídos, como muros e painéis de vidro. É necessário ter cuidado com construções vizinhas, que geralmente alteram o sentido dos ventos.

No meio urbano, a vegetação não consegue barrar eficientemente ruídos de buzinas, sirenes e frenagens do trânsito, pois, para isso, são necessários grandes volumes vegetais, frequentemente incompatíveis com as dimensões dos terrenos. Nesse caso, não há escapatória: deve-se usar muros altos ou painéis acústicos.

Elementos da cidade

É sempre bom ficar de olho nas condições das calçadas, verificando onde estão as bocas-de-lobo, os postes, as fiações baixas e mesmo se há árvores que dificultem o acesso.

Em projetos públicos, verifique em que medida elementos preexistentes podem influir no programa, favorecer o zoneamento e até mesmo o partido do projeto. Por exemplo, ruas movimentadas poderão ser obstáculos para o uso do local pelas pessoas, ao passo que a presença de equipamentos, como bancas de revistas, pontos de ônibus, telefones públicos e caixas de correios, atraem mais movimento e circulação do público. Isso também acontece na vizinhança de comércio, escolas e residências, que atraem para as áreas verdes pessoas de faixas etárias diferentes, em horários específicos.

Enfim, a visita à área de projeto deve servir para checar todo seu potencial e os problemas a serem enfrentados.

Montando o programa

O elenco de aspirações e necessidades varia de acordo com o tipo de cliente e se traduz na montagem do programa. Em geral, ele se caracteriza por três tipos básicos, embora comportem variações e peculiaridades: jardins para residências; jardins para condomínios horizontais e verticais; loteamentos residenciais, praças e parques.

O paisagismo para casas é como **roupa sob medida**, que deve se ajustar perfeitamente para quem foi feita. É importante, por exemplo, checar se o cliente é muito sociável, se deseja receber em casa ou quer um refúgio exclusivamente familiar; se tem filhos pequenos ou filhos adultos morando em outro local; se o ponto de reunião dos netos é a casa dos avós.

Não basta apenas anotar mecanicamente os itens desejados, como piscina, churrasqueira, quiosques, quadras e áreas de recreação infantil, mas também discutir o tipo e o caráter mais ou menos formal dos espaços. É preciso saber do interesse por lugares aconchegantes, sombreados, jardins mais ou menos densos, gosto por frutas, aromas e texturas. Em resumo, deve-se estar atento aos valores desse cliente e de sua família, de modo que o projeto bem os atenda.

No caso de condomínios horizontais e verticais, o projeto é elaborado para um **público-alvo**, aferido em conversas entre o incorporador, a empresa de vendas, a agência de marketing, o arquiteto, o paisagista, o construtor, etc. A seguir, são apresentados os atrativos e os equipamentos mais utilizados nesse segmento.

Quem busca esse tipo de moradia quer mais segurança. Nesse sentido, o paisagista pode ajudar no desenho de muros, gradis e guaritas que não sejam demasiadamente agressivos e valorizem o ingresso, após o qual é interessante um espaço largo como praça de entrada, que acolha e impressione o visitante.

FIGURAS 108A, 108B E 108C

Na montagem do programa, é interessante o entusiasmo do cliente por lugares aconchegantes, sombreados, jardins mais ou menos densos, áreas com churrasqueiras, etc.

É recomendável separar as áreas de recreação por faixa etária, a fim de evitar brigas e conflitos (ver capítulo 1). Playgrounds infantis, que atendem crianças de 0 a 5 anos, geralmente podem conter brinquedos de plástico, como miniescorregador, casa de boneca ou de Tarzan, gira-gira, etc.; locais para brincadeiras de solo, como caracol e amarelinha; espaços para antigas brincadeiras, como bolas de gude, pião, taco, etc.

Playgrounds juvenis, para crianças de 5 a 10 anos, podem ser pensados com brinquedos de madeira, como escada horizontal, escalada vertical, escorregadores maiores e brinquedos de atividades múltiplas; labirinto de vegetação podada; etc. Áreas de diversão para pré-adolescentes, entre 8 e 13 anos, pedem equipamentos que os façam gastar energia, como pista de skate e patins, saco de boxe, espirobol, etc. Setores para adolescentes podem ser planejados como centros de encontro e reunião, dotados de praças para música e fogueira, salas de estar desenhadas por bancos com encosto, mesas laterais e centrais, etc.

Diversões e atrativos para adultos incluem geralmente pista de cooper com equipamentos de ginástica, tendas de massagem, gazebo *gourmet*, bar junto à piscina, espaço para leitura e meditação. A terceira idade gosta de se sentir aconchegada sob caramanchões, em áreas com redes, nurseries de plantas, gramados para prática de ioga, tai chi chuan, etc. (ver capítulo 1).

Há espaços e equipamentos que todas as idades podem e gostam de usar. É o caso do parque aquático descoberto e/ou coberto; das quadras poliesportivas, quadras para tênis, áreas de areia para vôlei, futevôlei e squash; dos pomares; jardins dos aromas; etc. Se os condomínios previrem a existência de bichos domésticos, é interessante projetar espaços para que possam brincar e fazer suas necessidades.

No caso do cliente público, os espaços mais requisitados, em geral, são as praças e os parques de uso coletivo. As praças são espaços inseridos no tecido urbano, no qual a paisagem da cidade está bastante presente. Os parques são áreas que podem ou não estar dentro da cidade, mas a visão da natureza prevalece sobre a paisagem urbana do entorno.

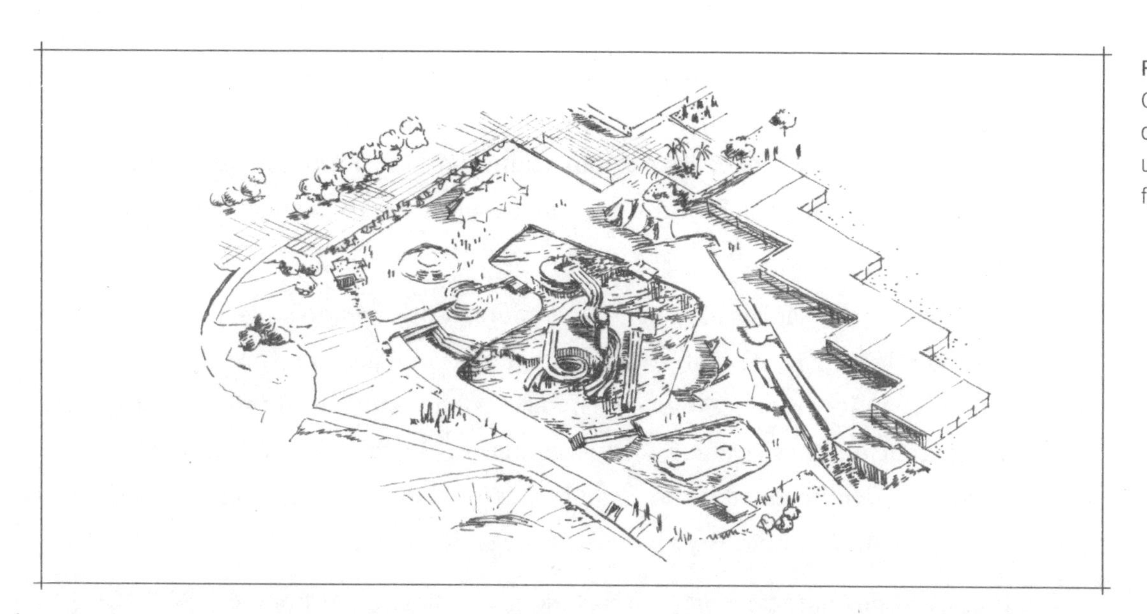

FIGURA 109
O parque aquático é um dos equipamentos utilizados por todas as faixas etárias.

FIGURA 110
As praças figuram entre as principais encomendas do poder público.

"Tanto no caso dos parques como no das praças, o mais importante é a participação do usuário ou de seus representantes na elaboração do programa."

Em geral, embora não necessariamente, os parques são maiores que as praças, e as formas de gestão também diferenciam esses espaços: os parques frequentemente possuem administradores, as praças não. Isso é importante para se formular as estratégias de manutenção ao longo do tempo, utilizar ou não espécies mais rústicas e equipamentos mais resistentes.

Enquanto as praças são usadas pelos moradores dos arredores, os parques atraem gente de pontos bem mais distantes da cidade, especialmente nos fins de semana, demandando a previsão de estacionamentos, serviços de apoio (informações, primeiros socorros, segurança), bares, restaurantes e sanitários. Se for o caso, outras atividades também podem ser contempladas: áreas de piquenique, locais para apresentações musicais e peças de teatro, vestiários próximos às áreas de esporte, etc.

Tanto no caso dos parques como no das praças, o mais importante é a participação do usuário ou de seus representantes na elaboração do programa. Existem técnicas de *workshops* e *brainstorms* que podem ser usadas para estimular a participação dos moradores, visando aferir em que tipo de solicitações o projeto deve trabalhar. Isso é importante para que a população se identifique posteriormente com os resultados, que sinta orgulho desse espaço, cuide dele, protegendo-o e não o depredando.

Experimentei esse caminho em vários de meus trabalhos. Vale mencionar dois deles. Num parque linear no interior do estado de São Paulo, estimulei a criação de pisos de mosaico cerâmico com motivos da economia local, realizados por crianças das escolas públicas da região. Simultaneamente, convidei adultos para plantar as árvores. Tudo isso visando a que as pessoas se envolvessem na realização do projeto, sentindo-se verdadeiramente donas daquele lugar.

No parque da Companhia de Tratamento de Água e Esgotos do Rio Grande do Norte, os trabalhos estiveram voltados aos meninos de rua, que foram treinados para produzir mudas de plantas da região usadas no projeto, para aprender a comercializá-las, e ainda para servir de guia aos turistas que visitarão o local.

Zoneamento espacial

Com o programa em mãos e todas as informações até aqui comentadas, parte-se para o desenho de zoneamento, no qual se estuda a distribuição geral dos elementos, não apenas daqueles construídos, mas também da vegetação sobre a morfologia do terreno, pensando nos espaços por ela criados. Nesse processo, é comum o programa sofrer ajustes para melhor adaptação às condições do local.

Em projetos de paisagismo relacionados a edificações, é fundamental que já no zoneamento seja considerada a ligação e a **continuidade espacial** ou visual entre os espaços exteriores e interiores. O paisagismo deve considerar as aberturas dos edifícios, de modo que se preveja o que as pessoas irão sentir e observar e como se dará o encaminhamento até as áreas externas. Obviamente tudo isso não depende única e exclusivamente do projeto de paisagismo, mas de um bom entrosamento entre ele e o projeto de arquitetura.

Frequentemente o zoneamento é confundido com as distribuições das funções no terreno, com o organograma espacializado das funções. Mas ele é bem mais que isso, devendo prever o caráter dos espaços paisagísticos.

É bom que se diga que não se trata daquela compatibilidade espacial necessária para o pleno desenvolvimento das funções. Por exemplo, a piscina deve estar em local ensolarado; áreas de estar, em locais protegidos pela sombra; os espaços precisam ser relativamente amplos para a prática de jogos; etc. A questão é prever que **tipo de espaço** existirá, que relação estabelecer-se-á entre o usuário e o local, que aproveitamento haverá do potencial visual da paisagem do entorno, dependendo das atividades (estar, lazer, etc.). Se haverá, por exemplo, aconchego e amplidão na área da piscina, intimidade nas áreas de estar, proteção nas áreas de recreação infantil, etc. Nesse processo, é importante imaginar que tipo de espaços (amplos, estreitos, ensolarados ou sombreados) pode criar essas sensações e a sequência de lugares e não lugares do projeto.

"Frequentemente o zoneamento é confundido com as distribuições das funções no terreno, com o organograma espacializado das funções. Mas ele é bem mais que isso, devendo prever o caráter dos espaços paisagísticos."

FIGURA 111
Croqui de zoneamento espacial.

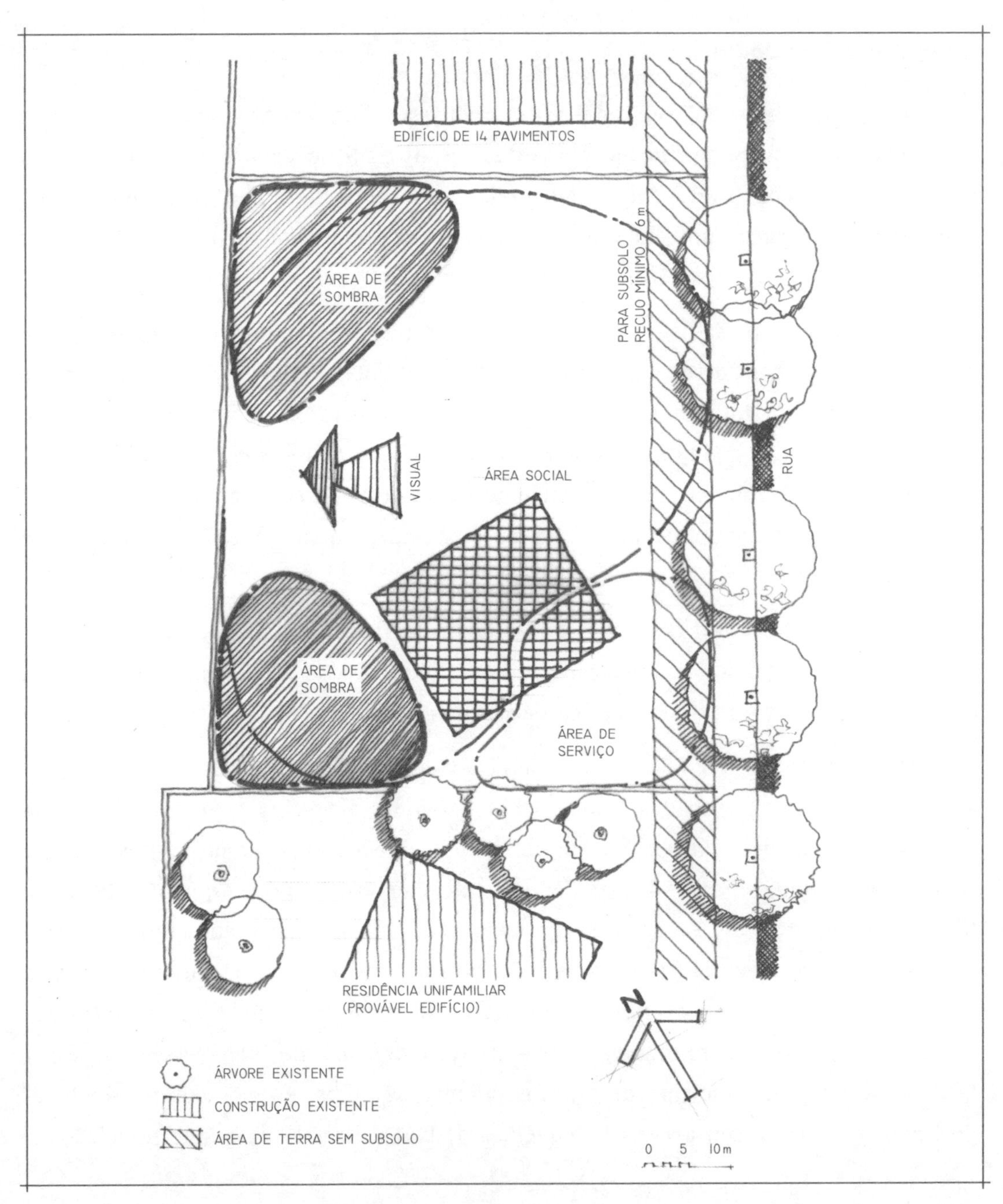

Geralmente, o desenho de zoneamento é feito com manchas em forma de amebas, que contêm aproximadamente as dimensões dos equipamentos, espaços e grupos vegetais. O ponto de partida é estabelecer os **locais com e sem vegetação**: áreas de pisos, áreas para implantação dos volumes edificados e equipamentos, áreas gramadas que possibilitem usos variados, maciços arbustivos que obstruam visuais desagradáveis e cerquem espaços, áreas de vegetação arbórea que formem bosques ou fechem o céu.

"O desenho de zoneamento é feito com manchas em forma de amebas, que contêm aproximadamente as dimensões dos equipamentos, espaços e grupos vegetais. O ponto de partida é estabelecer os locais com e sem vegetação."

Em trabalhos de iniciantes, é frequente a criação de espaços de múltiplo uso, mais amplos que o necessário e sem qualquer subdivisão. O resultado geralmente não é muito interessante, pois espaços desmensurados se mostram insossos e desagradáveis para o desenvolvimento de qualquer atividade.

Algumas áreas poderão servir apenas como elemento de referência visual e estética, outras poderão ser reservadas como elemento de transição entre os espaços utilizados. Serão espaços de acesso, fechados ou abertos, que poderão proporcionar sensações diferentes ao longo do deslocamento das pessoas, criando surpresas e aumentando a dramaticidade e a intensidade da percepção da paisagem. Pode-se criar também área bastante fechada e sombreada entre dois espaços amplos e ensolarados, e mesmo espaço com vegetação apenas para ser visto como cenário, a distância. Enfim, há várias possibilidades para se criar surpresas.

Estudo preliminar

É a fase de depuração do zoneamento, na qual o tratamento dos elementos vegetais e construídos ganha definição, apontando as primeiras soluções. É o momento em que se inicia o **plano de massas vegetais**, com a especificação das principais plantas que comporão a proposta, o detalhamento de suas características em termos de cores, época de floração, aromas, textura de folhagem, tipo de caule, etc. Nessa etapa, ainda não é preciso nem é interessante fechar completamente a especificação botânica, até porque, como se trata de uma primeira apresentação para ser discutida com o cliente, poderá haver mudanças e sugestões a serem incorporadas.

FIGURA 112
Estudo preliminar
de jardim para
condomínio residencial.

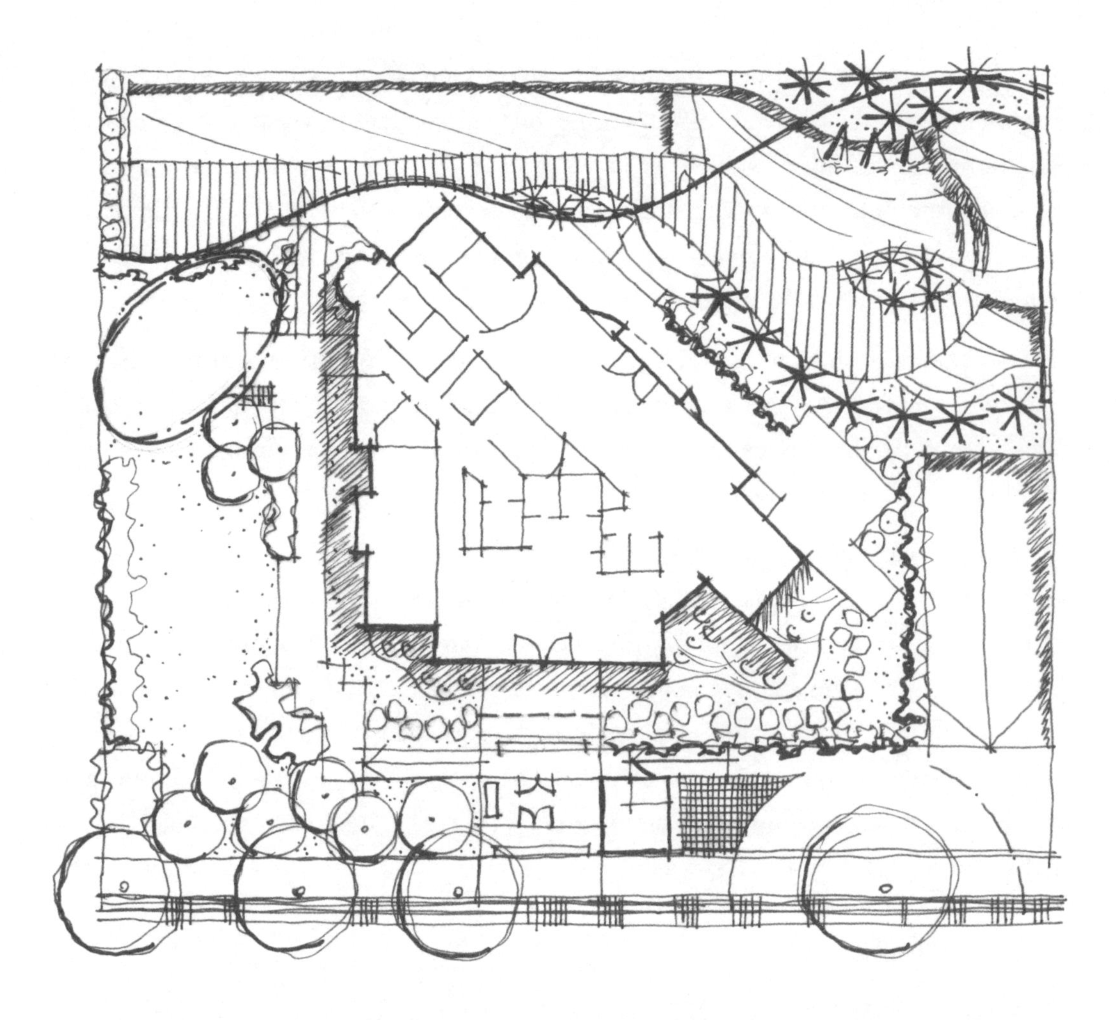

Em trabalhos de maior complexidade, é também a etapa de ponderar as necessidades e as **interferências** que o paisagismo possa causar nos demais projetos de arquitetura, hidráulica, estrutura, etc. É a ocasião de conversar, alterar e agregar informações trazidas pelos demais profissionais envolvidos no trabalho. Mas não se iluda, porque nem tudo é perfeito e sempre haverá dificuldades. E isso tem seu lado positivo também, porque são justamente os problemas que estimulam a criatividade. Portanto, bons trabalhos não surgem do acaso, mas do embate com dificuldades.

Em projetos pequenos, com diretrizes bem acordadas com o cliente, o estudo preliminar pode ser eliminado, partindo-se diretamente para o anteprojeto. Porém, o mais seguro é fazer mesmo o estudo preliminar, deixando ideias e soluções em aberto para um bate-bola com o cliente, fazendo-o participar e interagir com o trabalho, somando seus palpites e verificando o acerto do caminho proposto.

Reunião com o cliente

De posse do estudo preliminar, marca-se uma reunião com o cliente. Para o sucesso desse encontro, é importante que o profissional saiba **expor suas ideias**, esteja entusiasmado com os resultados e sobretudo empregue argumentos e justificativas compatíveis com as expectativas do cliente. Por exemplo, o cliente do setor público espera que os objetivos políticos, sociais e culturais da iniciativa estejam bem articulados.

O casal proprietário de uma **residência unifamiliar** espera saber se seus sonhos serão atendidos, se todos da família vão gostar das soluções propostas, se os custos serão viáveis, etc. Por sua vez, o incorporador do condomínio quer saber se as soluções propostas atenderão à relação de **custo e benefício** esperada para o sucesso do empreendimento. A empresa de vendas quer saber o quanto o paisagismo agregará valor para a comercialização. O publicitário quer ter uma bela história sobre o projeto para convencer os compradores. A construtora quer soluções práticas e baratas para executar a obra. A empresa de execução de jardins quer uma seleção de espécies fácil de encontrar, orçar e plantar.

Para começar a conversa, uma boa dica é falar das coisas boas do projeto, da satisfação que foi criá-lo, das ideias gerais, ainda sem mostrar os desenhos. Depois desse aquecimento, que cria um certo suspense, abra o projeto e exponha-o como se estivesse percorrendo seus caminhos e espaços, iniciando sempre pela chegada.

Em **prédios residenciais**, fale do acesso a partir da rua. Mostre a solução proposta para a calçada, sua arborização, sua floração, o desenho do gradil ou muro, se existirem.

"Para começar a conversa, uma boa dica é falar das coisas boas do projeto, da satisfação que foi criá-lo, das ideias gerais, ainda sem mostrar os desenhos."

FIGURAS 113A, 113B E 113C
Série de espaços verdes em condomínio residencial.

Passe pelo portão, enfatize a segurança, chame a atenção para a guarita, com seu espaço pequeno mas bem feito. Chegue na praça de entrada, que é mais ampla e contrasta com o estreito da guarita. Fale como essa praça é confortável e aconchegante, que apresenta o murmurinho de uma fonte que você criou e aromas de flores para dar boas-vindas a quem chega. Mostre o piso, sua padronagem, o material agradável ao pisoteio, de fácil manutenção e custo compatível. Fale das cores das flores que estarão presentes nessa praça durante o ano e explique como será a iluminação noturna.

"[Estudo preliminar] é a fase de depuração do zoneamento, na qual o tratamento dos elementos vegetais e construídos ganha definição, apontando as primeiras soluções."

Passe para o próximo espaço, talvez um corredor lateral de ligação meio estreito e sombreado, sugerindo o contraste de dimensão desse espaço com os que estão mais adiante, como a área aberta e ensolarada da piscina. Assim, vá passeando, parando e falando das sensações causadas, por exemplo, pela delicada forma de uma flor, disposta estrategicamente perto de uma área de descanso. Uma dica é seguir o conselho de Oscar Niemeyer: no processo de projeto, vá redigindo sua defesa, mostrando especialidades, conceitos, pontos fortes. Se você não conseguir escrever algo que convença, então reveja o estudo.

Depois desse agradável passeio, aí sim, fale de suas dúvidas, de outras opções para determinados lugares, dos problemas e das alternativas de solução e, finalmente, do custo estimado para a obra, para o plantio da vegetação, para a irrigação do jardim, etc. O jardim instantâneo é a aspiração de muitos clientes. Hoje, em pequena escala, ele é quase possível, embora caro.

Após a apresentação, responda às perguntas conforme o interesse e a visão do interlocutor. Por exemplo, enfoque a facilidade de executar a obra para o construtor, ou os custos com o pessoal de vendas e incorporadores.

Caso haja algum **pedido de modificação** ou uma rejeição de ideia e equipamento proposto, não se desespere. Lembre-se de que, no projeto, existem itens mais ou menos importantes a serem preservados. Se a discussão se concentrar num elemento secundá-

"Deixe para 'brigar' pelas ideias que realmente valham a pena e garantam a integridade do projeto."

rio, não hesite e proponha na mesma hora outra solução (se você conseguir enxergá-la) ou se comprometa a reestudá-la. Se a ideia do cliente for realmente melhor que a sua, e isso ocorre com certa frequência, acate a sugestão, elogie e parta para a mudança.

Deixe para "brigar" pelas ideias que realmente valham a pena e garantam a integridade do projeto. Se você de fato acredita nelas, a ênfase do seu discurso e a garra do seu envolvimento ajudarão muito no convencimento final.

Anteprojeto

É a conclusão do processo iniciado no estudo preliminar. Seu objetivo é mostrar as soluções definitivas em termos formais, estéticos e funcionais, as circulações, os equipamentos. Enfim, o amadurecimento das ideias, características e personalidade do projeto. Apresenta a seleção de espécies, os materiais e os elementos construídos e as estimativas mais reais para a execução da proposta. Como geralmente se destina à apresentação para leigos, o anteprojeto deve oferecer uma linguagem gráfica de fácil compreensão, com desenhos coloridos, perspectivas, etc.

No caso de empreendimentos imobiliários, é o anteprojeto que servirá como base para a elaboração dos desenhos finais, das maquetes, para os passeios virtuais que comporão o material de vendas e também serão usados em fôlderes, artes para revistas e jornais, vídeos institucionais, comerciais de tevê, etc.

O anteprojeto é importante também para a conceituação de itens subsequentes, como a irrigação, a luminotécnica e a segurança, a cargo de profissionais especializados. No caso da irrigação, será estudada a distribuição e os tipos de aspersões e gotejadores mais adequados. Na proposta de luminotécnica, será estudado o efeito dos aparelhos e tipos de lâmpadas para atingir certos resultados mais ou menos dramáticos. Se houver projeto de segurança específico, é importante saber quais recursos serão usados: tipologia de guarita, acessos, eclusas, localização dos guardas, etc.

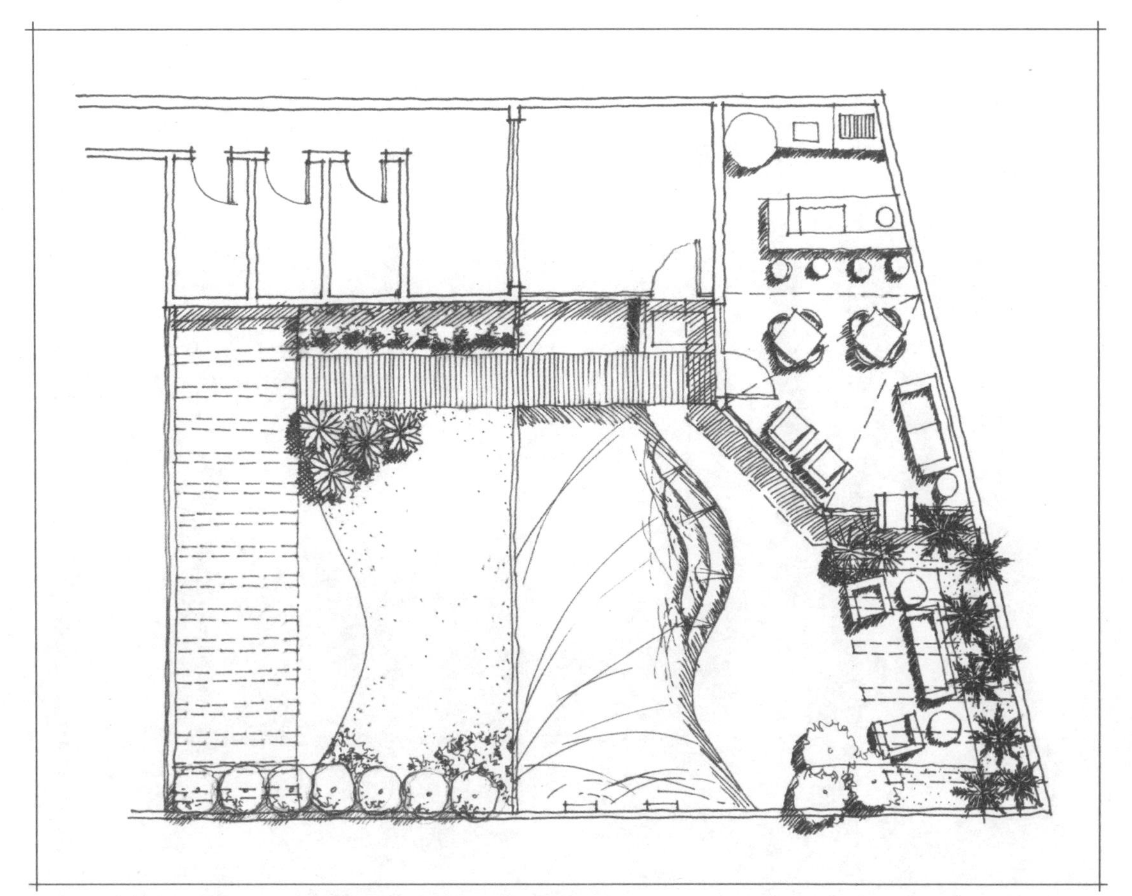

FIGURA 114
Anteprojeto de jardim residencial.

FIGURA 115
Anteprojeto de jardim de condomínio residencial.

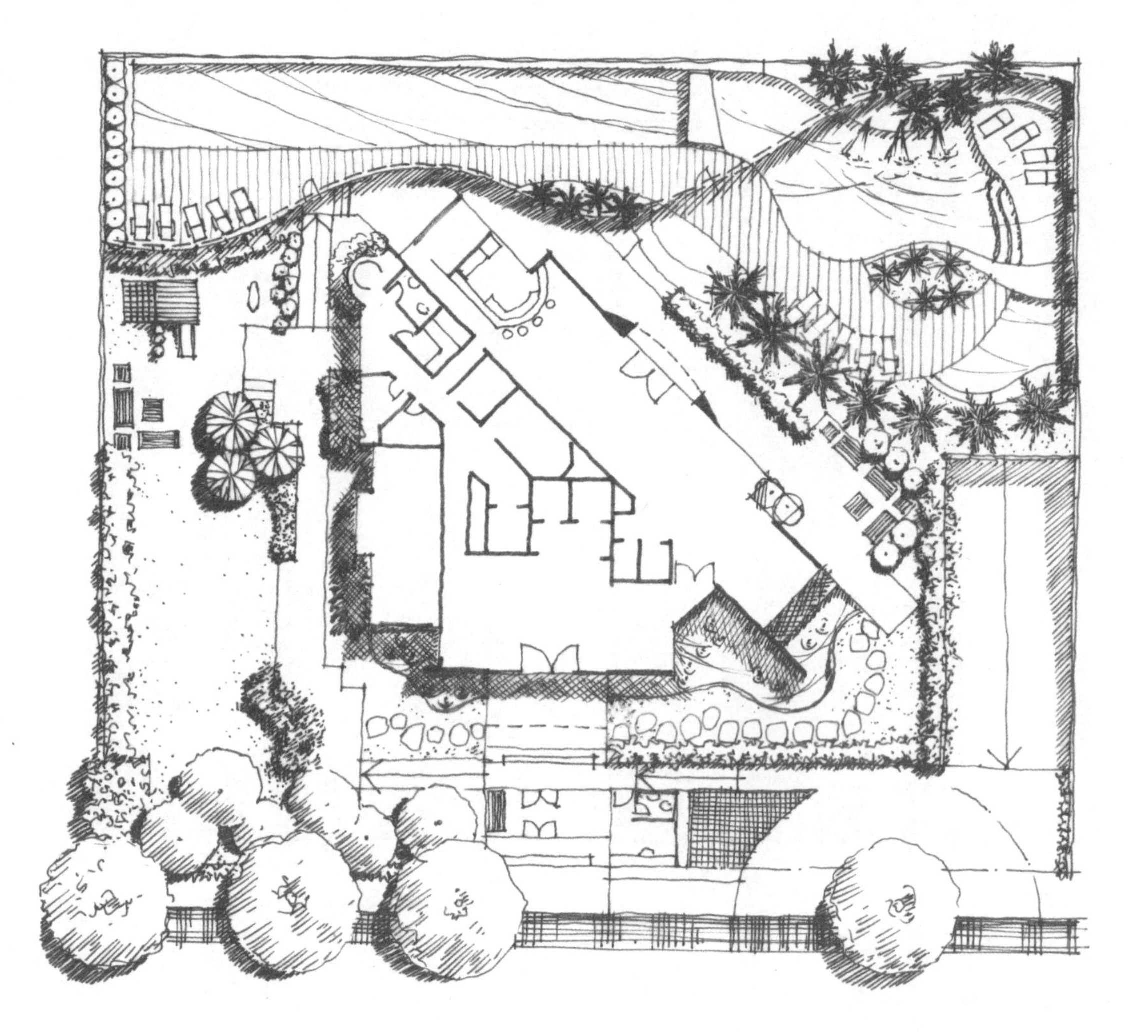

Pré-executivo

É necessário quando a obra é sobre laje ou quando existem construções de certo porte no projeto paisagístico. Apresenta uma série de desenhos técnicos, em escalas determinadas, contendo plantas, cortes e elevações, com informações de dimensionamentos, cotas de níveis, notas e observações.

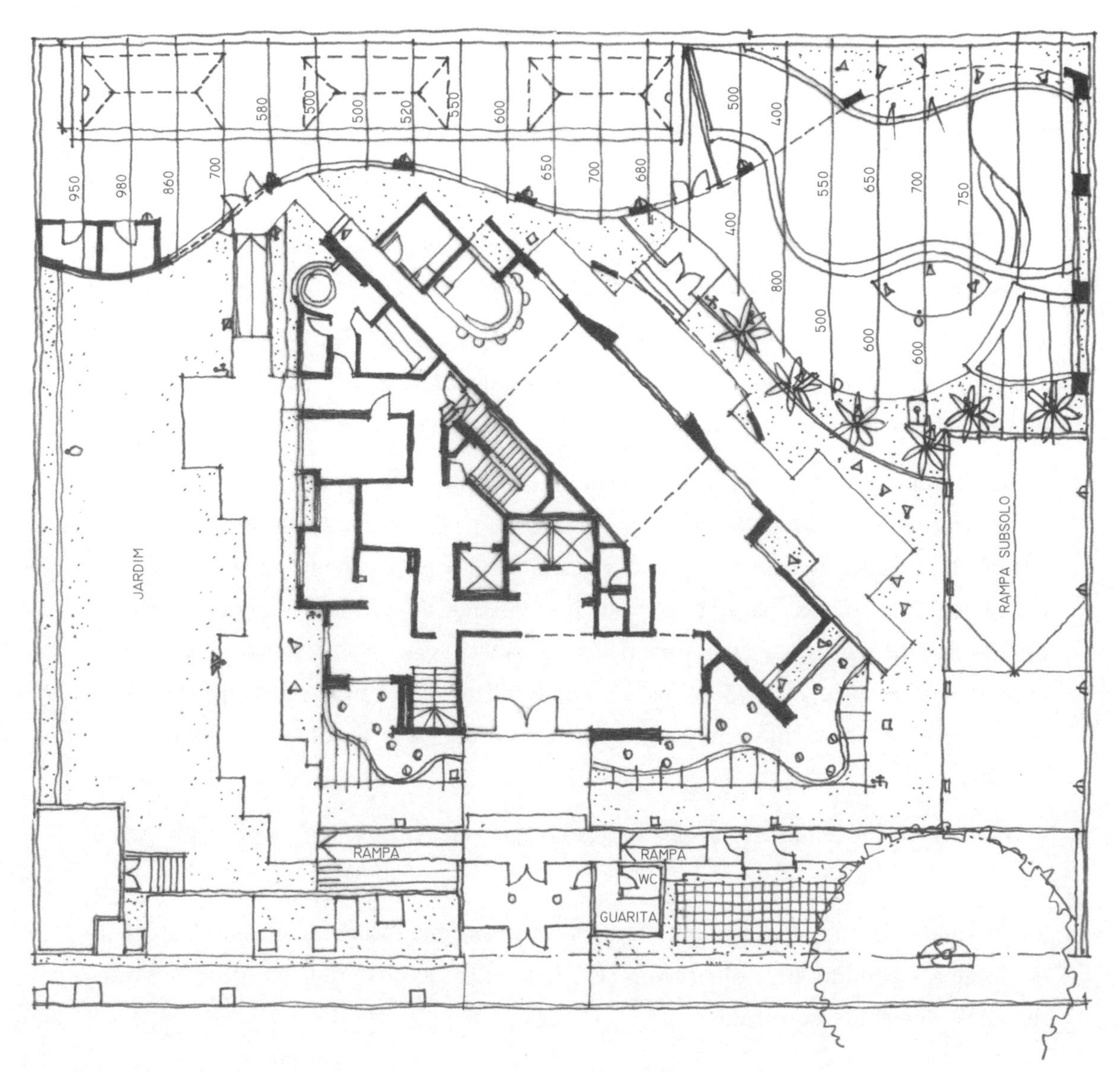

FIGURA 116
Pré-executivo de jardim de condomínio residencial.

O pré-executivo detalha a obra grossa, ou seja, os elementos construídos que dependem da participação e revisão de outros profissionais para completá-los, como jardins sobre lajes, piscinas, áreas para churrasco, pórticos, guaritas, muros e arrimos.

Nesse processo, verifica-se a interface com:

- a arquitetura, considerando os acessos das áreas internas para as externas; os acertos do layout interno já negociados no anteprojeto, etc.;
- a estrutura, adequando os tipos e desenhos de lajes necessários e seus rebaixos; as cargas de terra e a locação das plantas grandes e pesadas; os detalhes da obra grossa, que devem aparecer no projeto de formas do calculista;
- as instalações, estudando a locação do poste de entrada de energia e dos medidores; a localização dos botijões de gás ou entradas de gás e telefones; a localização dos pontos de luz com os respectivos watts das lâmpadas para cálculo da carga elétrica; o desenho das torneiras para lavagem de piso e irrigação manual, quando não existe projeto específico de irrigação automática; a caixa de passagem; os ralos ou as canaletas para drenagem dos pisos e canteiros; a compatibilização dos níveis das lajes do térreo para garantir os caimentos necessários para as tubulações de esgoto, ralos e águas pluviais, etc.;
- as fundações, prevendo as cargas no térreo com elementos construídos, plantas e terra;
- a impermeabilização, discutindo as formas de ancoramento das mantas. Dependendo do sistema escolhido, o detalhamento será feito em fase posterior, no projeto executivo dos elementos construídos.

Elementos construídos

O projeto executivo dos elementos construídos ou obras civis destina-se à elaboração do orçamento final e principalmente serve de guia para engenheiros, mestres de obras e operários, que efetivamente executarão as partes construídas. Deve conter as informações aprovadas no anteprojeto e compatibilizadas com os demais projetistas no pré-executivo. Apresenta desenhos técnicos, em escalas adequadas para a visualização e compreensão das plantas e detalhes, com textos explicativos nas pranchas para evitar possíveis dúvidas.

"Quanto mais informações na forma de desenhos ou textos, menor a quantidade de dúvidas, maior a eficácia e a rapidez para executar a obra."

No caso de **jardins sobre laje**, a planta técnica do projeto paisagístico deve ser montada sobre a planta de formas do projeto estrutural, pois o conjunto de lajes, vigas e pilares será construído antes e, uma vez concretado, é muito complicado e caro alterá-lo. Portanto, a compatibilização de dimensões, locações dos rebaixos e elementos tridimensionais deve estar perfeita.

O projeto dos elementos construídos detalha a **obra fina** do paisagismo, isto é, tudo aquilo que será construído sobre a laje: revestimentos finais de pisos, rampas, escadas, tentos, muretas, muros, ventilações permanentes, pérgolas, pórticos, solários, piscinas, quadras, áreas de estar, áreas de recreação infantil.

Enfim, tudo o que foi previsto no anteprojeto agora é desenhado com cotas de dimensão e níveis finais acabados; com indicação dos materiais de revestimentos, dos pontos de água e luz finais – quando não houver projetista especializado –, dos fornecedores dos equipamentos utilizados, etc. Nos detalhes deverão aparecer a especificação, a forma de assentamento, os arremates e as cores dos materiais, a forma de fixação, drenagem, impermeabilização, etc. Para isso, é importante estar atualizado a respeito dos materiais mais recentes lançados no mercado, das formas de aplicação, da resistência a chuva e sol, de tornarem-se escorregadios quando molhados, de sofrerem desgaste por abrasão, etc.

Quanto mais informações na forma de desenhos ou textos, menor a quantidade de dúvidas, maior a eficácia e a rapidez para executar a obra. Isso otimiza também as visitas de fiscalização e minimiza o dispendioso quebra-quebra, em caso de erro por falta de explicação no projeto.

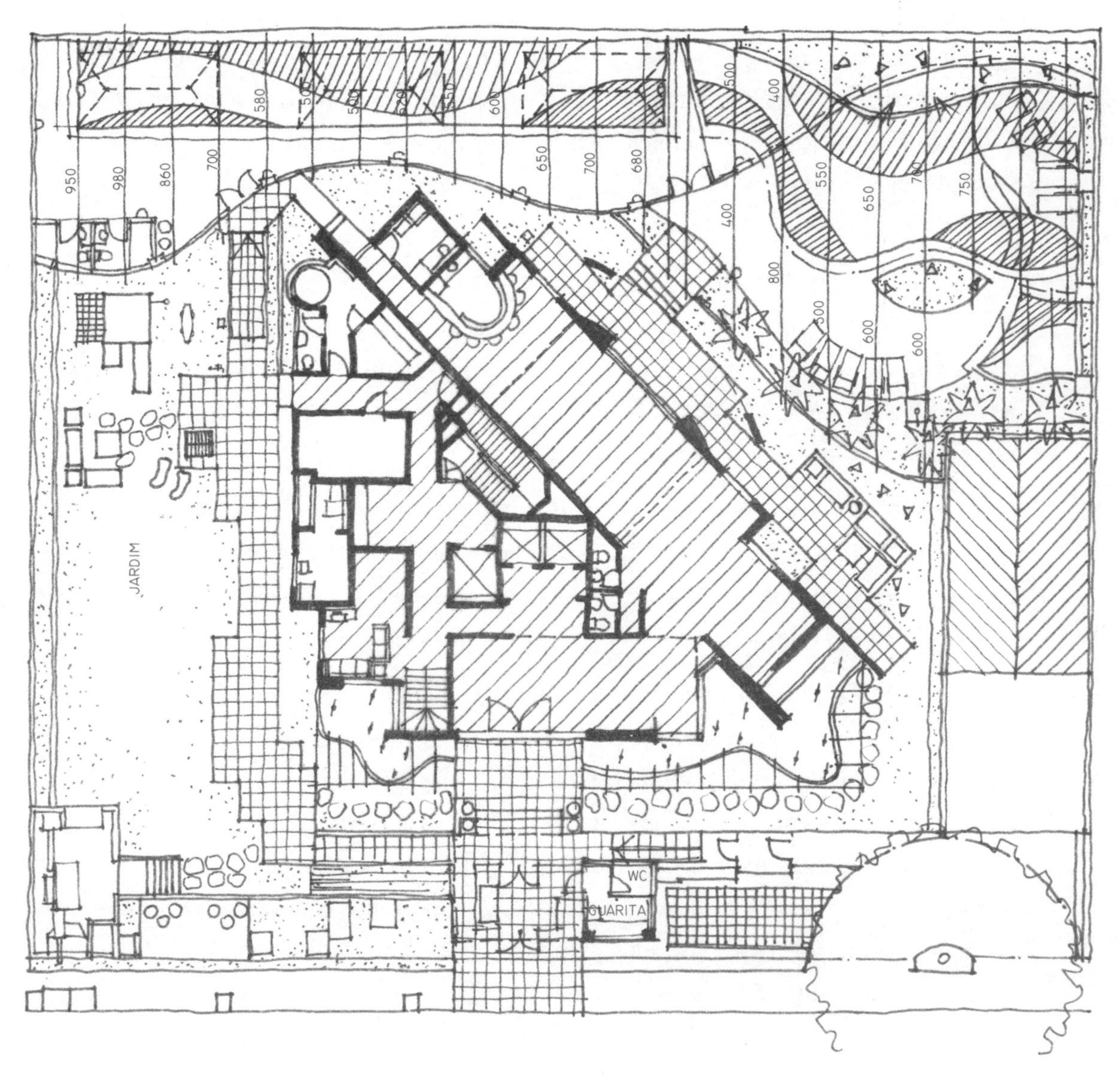

FIGURA 117
Detalhes de drenagem e iluminação.

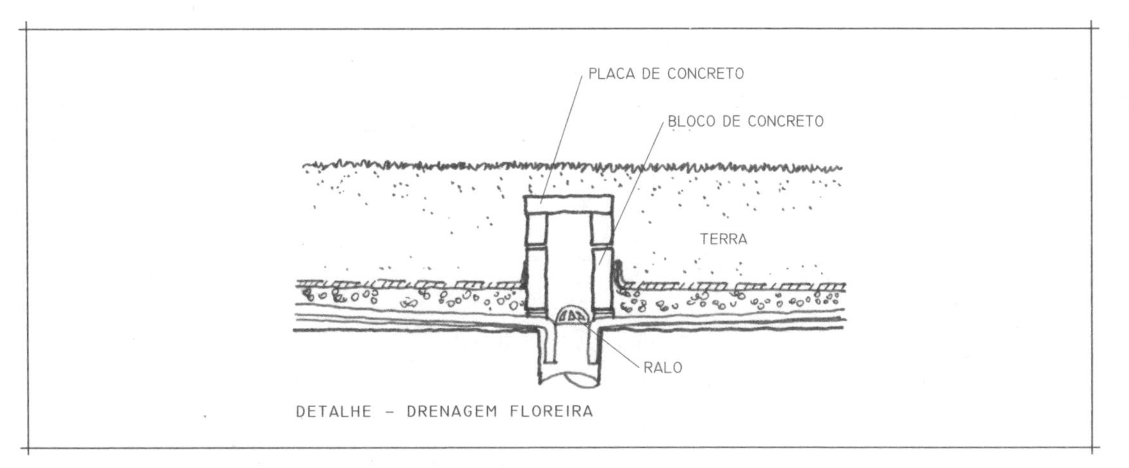

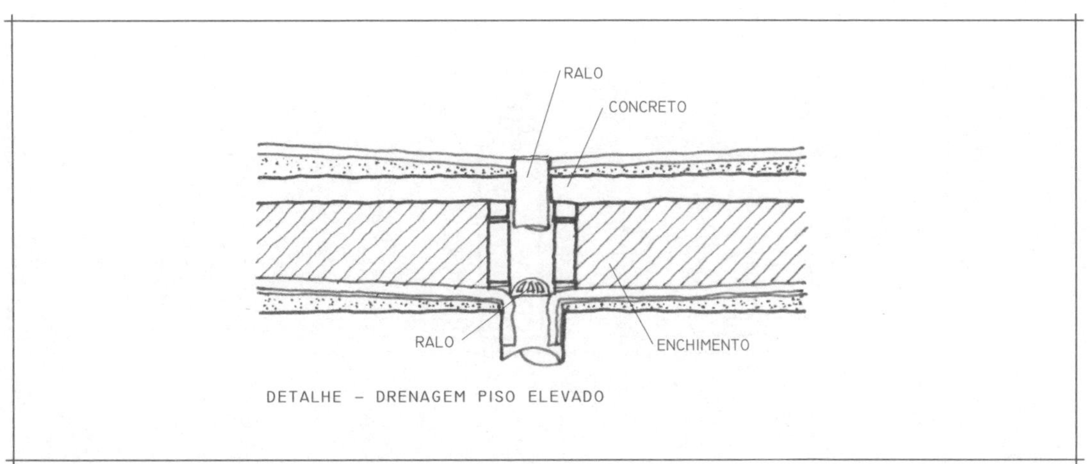

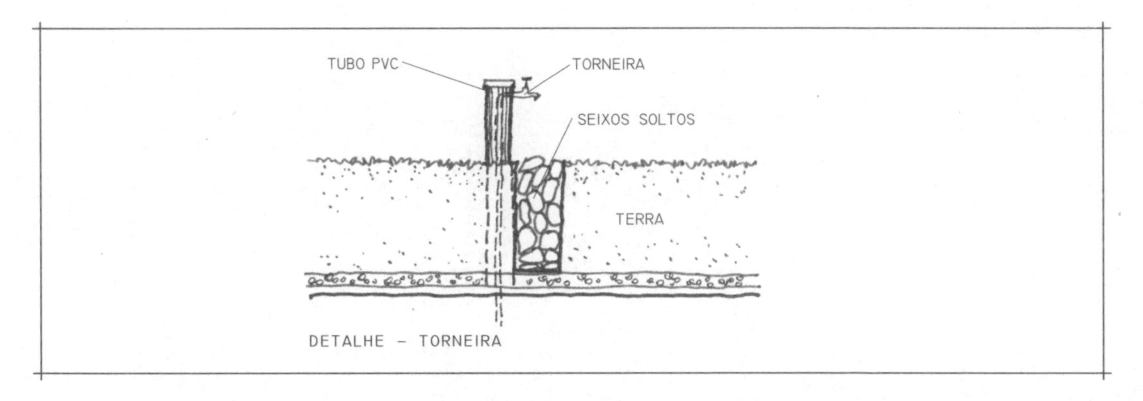

FIGURAS 118A, 118B E 118C
Detalhes de drenagem.

FIGURAS 119A, 119B E 119C
Detalhes de iluminação.

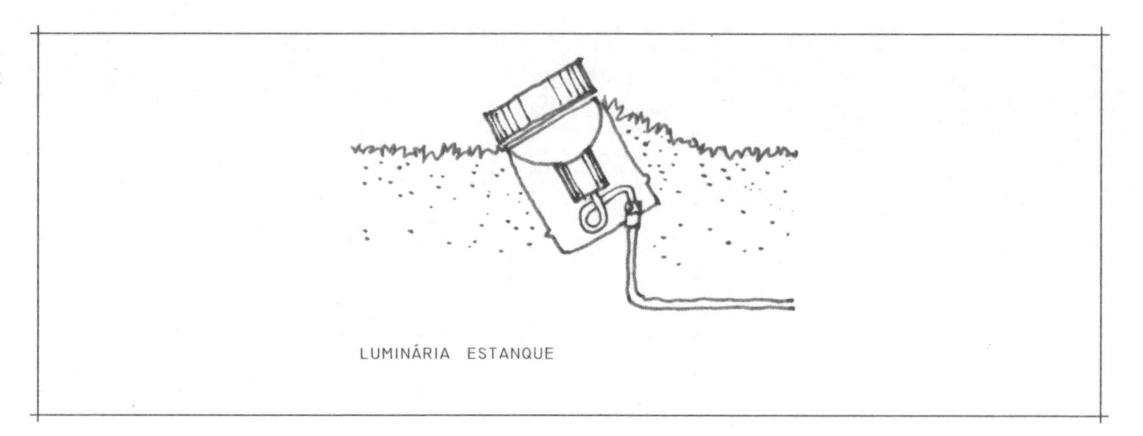

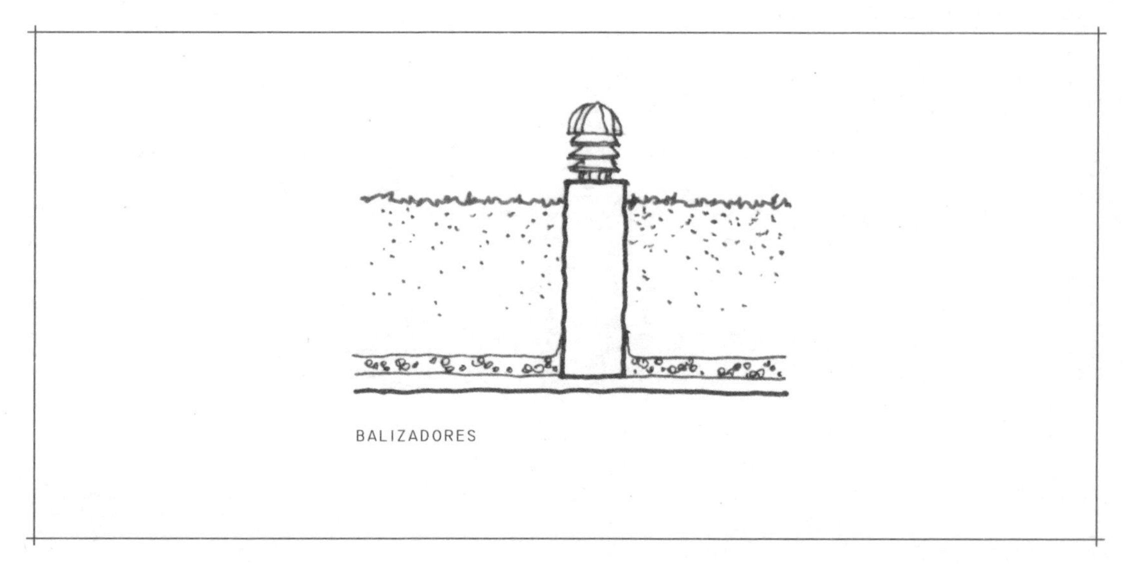

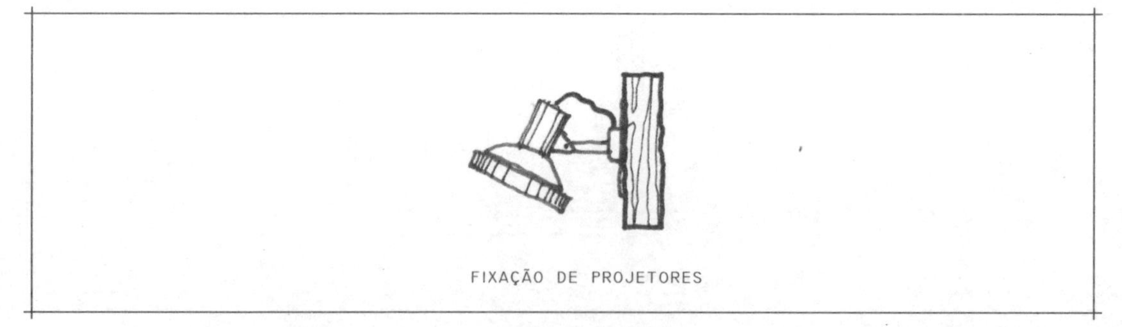

No intuito de evitar dúvidas e motivar o trabalho em equipe, recomenda-se que antes do início da obra fina seja feita uma reunião com o engenheiro responsável e o mestre de obras para explicar o projeto, ajustando-o, se for o caso, às condições e facilidades do canteiro de obras. Não é demais sublinhar a importância do envolvimento e da parceria entre os responsáveis pela construção para um bom resultado final.

Projeto de plantio

Embora faça parte da mesma etapa do projeto executivo dos elementos construídos, é melhor que o projeto de plantio seja desenhado em separado. Isso facilita a leitura e não mistura informações de natureza diversa – construção e vegetação –, mesmo porque serão utilizados em tempos de obra diferentes. O trabalho com a vegetação só deverá ser iniciado quando as obras civis estiverem completamente prontas. Por sua vez, as obras civis serão executadas por engenheiros, mestres de obras e pedreiros, profissionais especializados que conhecem a logística desse processo.

O projeto executivo de plantio deve conter:

- planos com localização das espécies vegetais e informações sobre quantidade, porte e distância de plantio;
- tabelas qualitativas e quantitativas, discriminando nomes botânicos e populares, o número e o porte dos exemplares de cada espécie, a definição de cores de flor quando a espécie apresentar várias possibilidades de tons, notas sobre torrão (raiz nua ou envazada), podas de formação quando for o caso, etc.;
- memoriais descritivos contendo o tamanho de covas, os tipos de tutores, se necessários para escorar as mudas, os tipos de terra, com as correções e a adubação adequada, etc.;
- informações sobre o tipo de manutenção, em termos de irrigação, podas, adubações, escarificação da terra para aeração quando as espécies estiverem recém-plantadas, em formação e adultas.

"Embora faça parte da mesma etapa do projeto executivo dos elementos construídos, é melhor que o projeto de plantio seja desenhado em separado. Isso facilita a leitura e não mistura informações de natureza diversa – construção e vegetação."

FIGURA 120
Projeto executivo
de plantio simplificado.

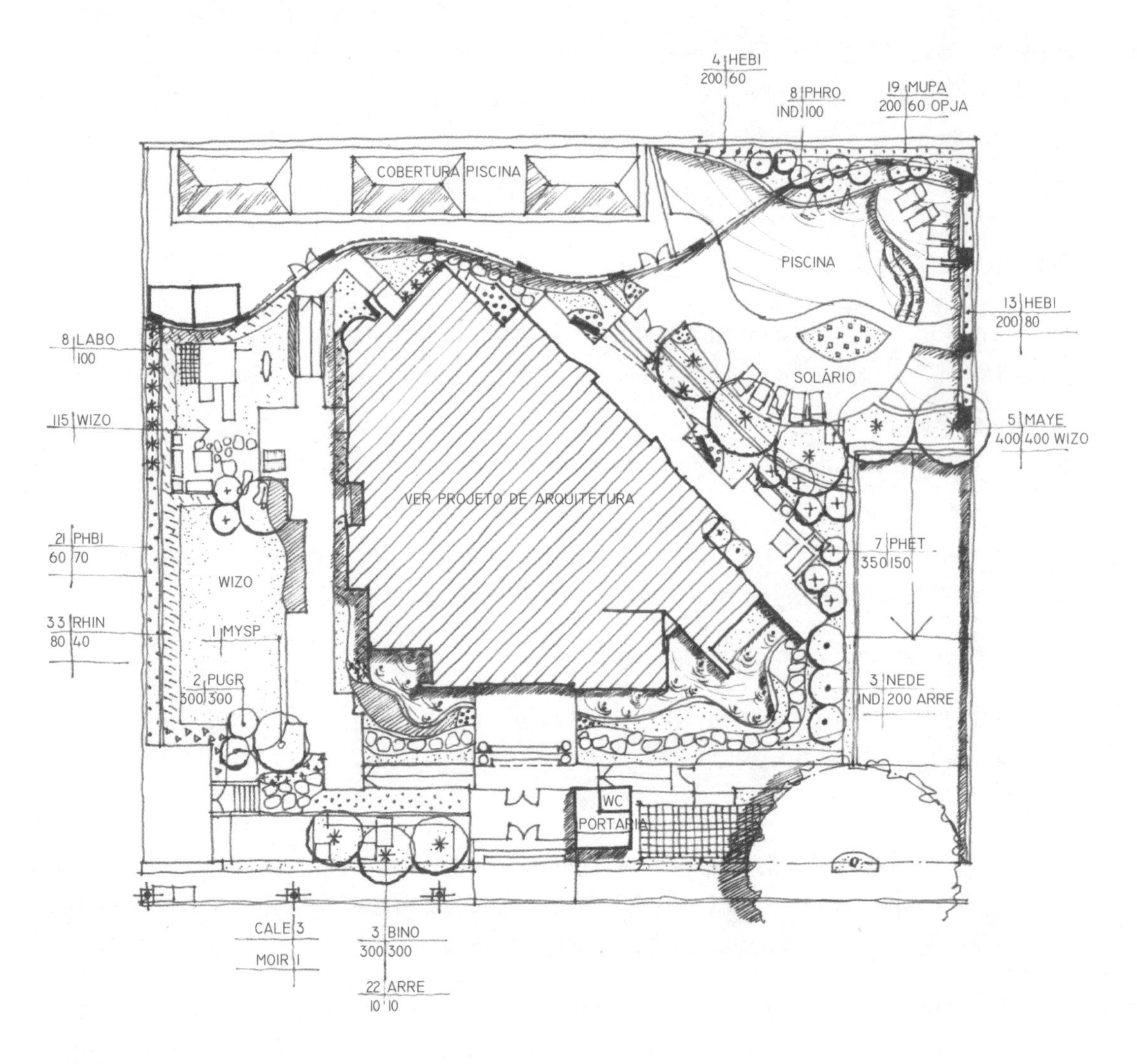

CONVENÇÃO DE LEGENDA:

21	PHBI
60	70

21 = quantidade
PHBI = nome da espécie
60 = porte
70 = distância de plantio

Tabela de espécies vegetais – Pavimento térreo

Código	Nome científico	Nome popular	Qtde. Unid.	Porte cm	Dist. Plantio cm	Especificações	Cor	Caule	Poda
ARRE	*Arachix repens*	Grama-amendoin	22m²	10	10				
BINO	*Bismarckia nobilis*	Palmeira-de-Bismark	3	300	total 300	Tutorar muda bem formada ver det.			
CALE	*Caesalpinia leyostachya*	Pau-ferro	3	600	ver projeto	Tutorar muda bem formada		5	
HEBI	*Heliconia bihai*	Heliconia alta	17	200	80	Muda bem formada			
LABO	*Latania borbonica*	Latania	8	50	100	Muda bem formada			
MAYE	*Mascarena verschaffeltii*	Palmeira-parafuso	5	400estipe	400	Tutorar muda bem formada ver det.			
MOIR	*Morea iridioides*	Moreia baixa	3m²	30	20				
MUPA	*Murraya paniculata*	Falsa-murta	19	200	60	Muda com folhas desde baixo com poda ver det.			
MYSP	*Myrciaria sp.*	Jabuticabeira	1	300	300	Muda bem formada			
NEDE	*Neodypsis decaryi*	Neodysis	1	250estipe	ver projeto	Tutorar muda bem formada ver det.			
NEDE	*Neodypsis decaryi*	Neodysis	1	300estipe	ver projeto	Tutorar muda bem formada ver det.			
NEDE	*Neodypsis decaryi*	Neodysis	1	400estipe	ver projeto	Tutorar muda bem formada ver det.			
PHBI	*Philodendron bipinnatifidum*	Guaimbé	21	60	70	Muda com 4 folhas			
PHET	*Phyllostachys edulis*	Bambu mosso torto	7	350	150	Muda bem formada ver det.			
PHRO	*Phoenix roebelenii*	Tamareira-anã	4	180estipe	100	Muda bem formada ver det.			
PHRO	*Phoenix roebelenii*	Tamareira-anã	4	120estipe	100	Muda bem formada ver det.			
PUGR	*Punica granatum*	Romã	4	300	150	Tutorar muda bem formada		3	
RHIN	*Rhododendron indicum*	Azálea	33	80	40	Muda bem formada	SU		
WIZO	*Wild zoyzia*	Grama-esmeralda	115m²	em placas					

Fiscalização das obras

Para o arquiteto paisagista, há dois momentos de acompanhamento dos trabalhos no canteiro: o primeiro diz respeito à verificação das obras civis; o segundo envolve desde a colocação da terra até o plantio da vegetação.

Essas visitas são importantes para solucionar dúvidas da equipe de execução, resolver dificuldades técnicas e mesmo somar experiências e sugestões daqueles que conhecem bem a prática.

Na proposta de honorários, é interessante prever um número mínimo de visitas, de modo a garantir que o projeto seja respeitado e bem implantado. Como o paisagismo é uma das últimas etapas da obra e o orçamento tende a diminuir pela proximidade do fim dos trabalhos, há um certo risco de simplificação na realização dos jardins. Por isso, é bom que o profissional tome precauções e faça vistorias técnicas, acertadas previamente. Frequentemente nesse momento, com a redução de recursos, alguns elementos têm de ser revistos, mas não se pode deixar que o espírito do projeto se perca.

No caso de empreendimentos imobiliários, a obra não pode ficar diferente do previsto no material de vendas, até mesmo por uma questão legal. A lei do consumidor garante ao comprador o direito de receber aquilo que foi veiculado no momento da compra.

Em termos de cronograma, a empresa contratada para o plantio somente pode iniciar seu trabalho após a conclusão das principais obras civis, incluindo tubulações de hidráulica (rega) e elétrica (iluminação) para os jardins. Nessa etapa, o paisagista deverá verificar a distância entre as mudas, a distribuição e a composição das plantas nos maciços, etc.

Após essas dicas e comentários, daqui para frente é com você. Boa sorte!

Índice geral